Eurus

Notus

教育力

齋藤 孝
Takashi Saito

Boreas

Zephyrus

岩波新
1058

まえがき

この本のテーマは、教育にたずさわる者に求められる力・資質とはどのようなものか、ということだ。教育に臨む心身の構えと、具体的な教育方法を書きたい。

この本を読んでくれた人の心と身体に、教育への勇気が湧くような本にしたい。「教育は大変だけど、一生を賭けるに値する素晴らしいものなんだ」と若い人が思ってくれればうれしい。また、現在さまざまな悩みを抱えながらも日々がんばっている教育者の方々に、自分の仕事の価値を再認識し、元気になってほしい。

本文の中では、教育者や教師という言葉を使っているが、この範囲はできるだけ広く捉えてほしい。教育という行為は人間のおよそあらゆる領域に拡がっている。すべての家庭、会社、クラブ活動、地域のさまざまな教室などで、日々、教育が行われている。それらの場を、学ぶ向上心にあふれたものにできるかどうかは、場のリーダーの教育力にかかっている。

教育には基本的な原理があるし、コツもある。そうしたことに全く無知なまま教育の意思だけ持っているのでは、まわりが迷惑だ。いい教育は人生の祝祭になるし、悪い教育は公害になる。基本を押さえた上で、自ら工夫を重ね自分の教育スタイルを見つけていく——これができれば、人と人の関係は明るく前向きになり、場がクリエイティブになる。そうした旅路の基本マップになるよう全力を傾けたい。

私の考える教育の基本原理は、「あこがれにあこがれる関係づくり」だ。新しい世界にあこがれ、燃えて学んでいる人は、魅力を放っている。その人の「あこがれ力」に触発された人は、自分も学びたくなる。教育の基本は、学び合い刺激し合う友情の関係だ。

私はニーチェのこの言葉が好きだ。「君は君の友のために、自分をどんなに美しく装っても、装いすぎるということはないのだ。なぜなら、君は友にとって、超人を目ざして飛ぶ一本の矢、憧れの熱意であるべきだから」(『ツァラトゥストラ』手塚富雄訳、中公文庫)。今の自分を乗り越えて行き続けるのが超人だ。

「自分は果たして今、憧れの熱意に燃えて飛ぶ矢であるだろうか?」こう自問する習慣を持つ人は、すでに教育の門の内側に立っている。

目次

目　次

序章　教えること、学ぶこと

あこがれを伝染させる力

教育の根底にあるのは、あこがれの伝染である。何ものかを価値あるものと認め、そこに心のエネルギーを注ぎ込む。何ものかを目指して飛ぶ、矢のようなベクトル。それがあこがれだ。心引かれるものがあるからこそ、努力しようという向上心が湧く。あこがれが根底にあるからこそ、技を習得する意欲も生まれる。

たとえば、文学をもっと深く理解したい、医学で人の生命を救いたい、英語ができるようになっていろいろな国の人とコミュニケーションがしたい、宇宙の神秘を解明したい、禅の悟りの境地を会得したい、一見退屈そうに見える伝統文化の隠れた良さをもっと深く理解したいなどなど。「〜したい」というあこがれ（願望）が、学ぶ意欲に火をつける。

教育の一番の基本は、学ぶ意欲をかき立てることだ。そのためには、教える者自身が、あこがれを強く持つ必要がある。「なんて素晴らしいんだ」という熱い気持ちが、相手にも伝わる。教える者がすでにあこがれの気持ちを失っている場合には、人はついてこない。「もっと勉強してみたい」という向上心をかき立てるのは、教える者のあこがれのベクトルである。

こんな話がある。ある禅僧が、フランスの地で禅を広めようと考えた。さて、彼はどうしたか。彼は毎日人目につきやすい場所で、ひたすら座禅を組んだ。はじめのうちは奇異なものを見る目つきで見ていた人びとも、毎日静かに威厳のある、しかもリラックスした心地よさげな感じで座り続ける男を見て何かを感じ始めた。禅僧は全く一言も喋らない。禅について人びとに教えを授けたり、説得するわけでもない。まさに只管打坐《しかんたざ》を貫き続けた。やがて一人、彼の真似をして座る者が現れた。そしてまた一人。こうして、彼は禅を広めることに成功した。

ひたすら座り続ける禅僧の身体から、禅へのあこがれが発散されていたのである。それを感覚で感じ取った者たちが、禅の何たるかを明確には知らないまでも、同じあこがれを共有し始めたということだ。「あこがれ」のベクトルは、言葉を超えて身体から身体へと感じ取られるものなのだ。

友情の場をつくる力

教育を仕事にしていると、面白いことがたくさんある。その中の一つに、「未熟さの効用」とでも言うべき現象がある。知識や教育技術がたとえ未熟であったとしても、不思議と初めて受け持った授業が生徒との間に一番濃い縁を結ぶことがよくある。

通常の仕事は、経験を積み、技術が上がるほど、質が良くなる。教育の世界でも、もちろん経験知は有効に働く。ベテランの安定感は、たしかに大切だ。しかし、教育の場合は、若く未熟であることがむしろプラスに働くケースがよくあるのも事実だ。初年度に受け持った学生たちのことが鮮明に記憶に残り、その後のつき合いも深い、という経験が私にもある。

これはどういうことだろうか。まず考えられるのは、初年度の緊張感が、学生たちに新鮮な印象を与えたということだ。慣れてくると手際が良くなる。すると、学生たちは、安心する一方で油断が出る。レストランで手際のいいコックに料理を出してもらうような気分で、授業を受け始めてしまうのだ。授業を上手にサービスする側と、サービスされる側に、立場がはっきり分かれてしまう。先生はいかにも先生らしく、生徒はいかにも生徒らしい。

こうした関係は、安定はしているが、ときに新鮮さに欠ける。これに対して、初年度の教師が持つ緊張感は、生徒にも伝染する。その緊張感の共有が、一つの同じ場を作り上げているのだという意識を生みだす。参加し作り上げる感覚が、生徒の方にも生まれる。それが思い出の濃さにもつながる。

ここで初年度というのは、教師になって初めての年度というだけではない。学校を替わって、教師が新たな気持ちで臨むときも新鮮さが出る。あるいは新しい教科を担当し、一生懸命勉強して多少の不安を持ちながらも勢いをつけて切り抜けていくときにも、印象深い授業ができやすい。

ただ単に未熟であることがいいわけではもちろんない。自分が未熟であることを自覚し、その分精一杯準備し、情熱を持って語りかけるときに、未熟さがプラスに転じるのだ。

教育において「新鮮さ」は決定的な重要性を持っている。いわゆる「教師臭さ」は、学ぶ側の構えを鈍くさせてしまう。型どおりの教え方が染みついてしまっている、という印象を与えてしまうだけで大きなマイナスになるのだ。「決まり切った感じ」を印象として与えないようにすることが大切である。

経験知を重ねる良さを残したまま、新鮮さを失わない。これは、もはや一つの技である。「先生も自分たちと一緒に変化してくれるのだ」という意識が学ぶ側に生まれると、場を一緒に盛り上げる機運が高まる。

一方向的な上下関係ではなく、友情の関係性が教育の目指すところだ。

学ぶという行為には、恋愛関係よりも友情関係が似合っている。恋愛は、お互いに引かれ合い、目を見つめ一体化しようとする。友情の関係性においては、互いに対して興味・関心を持つのはたしかであるが、共通の目標を持って共に努力することも多い。向上心は、友情の関係によって育まれるものである。切磋琢磨という言葉がある。お互いに磨きをかけ合うような、適度な緊張関係が、学ぶ意欲をかき立てる。

教師自身が学び続けること

「子どもの個性を伸ばす」というスローガンはもっともらしく聞こえる。しかし、教師自身が何か高みを目指して飛ぶ矢のような勢いを持っていなければ、学ぶ側に「あこがれ」は生まれない。教えるという行為にばかり気をとられて、教師自身が学ぶことを忘れている場合が少なくない。学ぶ側はそれなりに進歩をしているにもかかわらず、教師の側が十年一日の如くであるとするならば、年々若々しさが失われる分、教師の魅力は減っていく。

学び続けていると、人は若くいられる。私はそう考えている。学んでいるときには細胞が活性化し、新陳代謝がうまくいっている気がする。学ぶことを面白いと心底感じ、その学ぶ喜びを生徒たちに伝えようとする教師の心は若々しい。

教える相手がいるからこそ、学ぶ意欲が持続するという良さもある。教師の中に、他業種についた同年齢の者よりもずっと若々しくいられる者が多いのはそのためだ。教師は、教えることの専門家であると同時に、学ぶことの専門家であらねばならない。

私は大学の教職課程で、教員志望者に授業をしている。教師になりたいという学生たちが集うわけだが、そのうちの半数以上は大学入学時に読書の習慣がない。少なくとも人に何かを教える職業に就《つ》きたいと思っているのならば、読書の習慣は最低限必要だ。自分自身が本を読まず学んでいないのに、教えたがるとすれば、それは本末転倒だ。学ぶことのプロフェッショナルであるからこそ、教える側に立つことができるのだ。

たとえば、「教え方マニュアル」を習い覚えた者がいるとしよう。何も教え方を学習していないよりはましだとは言えるが、教え方しか知らないのでは、相手の学ぶ気持ちに火をつけることは難しい。学ぶことが楽しいことだ、と相手に本気で信じさせることが、教師のいわば使命である。自分自身が学ぶことをせずに、ある程度習い覚えた教育内容を消化するだけでは、一番肝心な「共に学び合う関係」が生まれない。

吉田松陰の教育

ゴッホが炎の画家だとするならば、吉田松陰は、まさに炎の教師である。松陰の教育力は絶大であった。後の日本の形を作る原動力となった。

松陰は、長州藩の下級武士の子として生まれ、叔父の玉木文之進から激烈なる早期教育を施された。一〇歳にして藩校・明倫館で講義を行ったというのだから、尋常な教育ではなかった。その後ペリー来日を機に、幕府への憤りを感じるようになり、尊皇攘夷思想に目覚めていった。海外密航を企てたが失敗し、長州藩に幽閉された。実に過激な思想と行動力の持ち主である。そんな松陰を慕う者は多かった。松陰は叔父の作った私塾・松下村塾を継いで、そこで若者たちに教育を施した。弟子たちの中には、久坂玄瑞、高杉晋作、伊藤博文、山県有朋、品川弥二郎らがいた。それほど大きな塾ではなかったのにもかかわらず、その後の日本の歴史を大きく動かす人物がこの塾から多数輩出したことは、松陰の教育力の大きさを示している。

松陰の塾には、友情の気風があふれていた。身分の上下に厳しかった武士の社会には珍しく、下層の武士たちも差別されることなく勉学に励むことができた。身分を度外視した人材起用の重要性は、松陰が暗に提言したことでもあった。

松下村塾は、建築物としてはそれほど大きなものではない。小さな空間に、これほどの人材がひしめき合って勉学に燃え、国を何とかしたいという情熱に駆られていたことを思うと、そのような熱い向上心のるつぼを作り上げた松陰の教師としての偉大さを痛感する。

授業の仕方は、一方向的な講義ばかりではなく、議論を重ね合う気風であった。松陰自身が若かったこともあり、共に学ぶ空気が塾の気風としてあった。それまでの塾の教え方は、中国の古典を素読し、細かく解釈するやり方が中心であった。松陰はそのような教育を幼少時から受けたわけだが、自分自身が主宰する塾では、当時の日本を取り巻く世界情勢を中心テーマとして、これから如何にすべきかという現実的な問題意識を共有させた。

松陰はこう言っている。

「学とは、書を読み古《いにしえ》を稽《かんが》ふるの力に非《あら》ざるなり。天下の事体《じたい》に達し、四海の形勢を審《つまび》かにする、是《こ》れのみ」

ただ古典を読むだけでは不十分だ、現実を見、戦略を考えよ、というのが松陰のメッセージであった。自由に討論する場が、そのために必要であった。

古川薫さんは『吉田松陰留魂録』(講談社学術文庫)の中でこう書いている。「れっきとした侍の子と、足軽や中間《ちゅうげん》や商人の子が、対等な友人として結びあうとき、閉鎖的身分社会には求められなかった、まったく新しい『友情』の場がそこに生まれた。明治維新をさきがけた長州人の力を支えたものが、封建的身分関係を超越した友情であったとすれば、その機運を最初につくり出したのは、疑いもなく松下村塾の塾生たちであった」。

松陰の内側に燃える情熱は激しい。しかし、生徒たちへの接し方は、穏やかで優しく、友のようであったという。生徒の一人、天野清三郎の証言によれば、「怒ったことは知らない。人に親切で、誰にでもあっさりとして、丁寧な言葉遣いの人であった」ということである。生徒たちを激烈な言葉で不安に陥れたり、その反動で自分に依存させたりといったマインドコントロール的な手法とは対照的な人間関係の作り方である。

塾の形態も通いの者が多く、出入りも自由であった。生徒を逃げられないようにしてしまい、そこに偏った世界観を一方的に注ぎ込むのでは、到底教育とは呼べない。松陰の松下村塾は、出入り自由な条件の下での熱い友情の場であった。

人に影響を与えて向上心を燃えたたせることが感化であるならば、松陰は日本の歴史に名を残す「感化力の達人」であったといえる。

自然なシステムとしての「塾」

塾という言葉には、プラス・マイナス両面のイメージがある。マイナスのイメージは、「毎日塾通いで疲れ切っている現代の子ども」といった文脈で語られるときの学習塾である。受験のために夜、塾で勉強する子どもたちを、「かわいそうだ」の一言で片づける傾向が一般にある。しかし、塾に実際に通っている子どもたちの感想を聞くと、必ずしも嫌なことばかりではない。学校の授業が内容が薄すぎるのに比べて、塾の勉強はどんどん先に進んでできるようになる実感があるので楽しい、という子どもは多い。

そもそも塾は、学校と違っていつでもやめることのできるものだ。自分自身の将来を考えて塾に通う判断を下す。そうした判断をしっかりとできる子どもは伸びていく。親に通わされているのだ、と思っている子どもは、どうしても勉強全般に対して逃げ腰になってしまう。塾は本来、自由意思で自ら決断して通うべき場所なのである。

大規模にシステム化された塾は、予備校に近い。本来の塾は、もっと家族的なイメージを持っている。学識と教育の熱意を持った人物が、生徒を募集し、塾を開く。生徒側は塾長に月謝を払う。塾長はそれで生計を立てる。やめるのは自由である。お金を直接もらって教えている、という関係は、教育に真剣さをもたらす。学校教育では、教師がお金を生徒側からもらっているという感覚を持ちにくい。公立学校では教育費は税金でまかなわれるので、なおさらだ。常により良い教育サービスを目指さなければ自らの生計が危うくなる、という緊張感は、塾の方が遥かに上である。教育の成果をしっかりと出さなければいけない、という切迫感は、教育にとってマイナスの要因にはならない。充実した教育内容と人間的なコミュニケーション、この二つを同時に味わうことができるのが、本来の塾の姿である。

塾は、いわばお店を開いている状態だ。店にお客さんが集まり続けなければ、運営は成り立たない。学校教育における教師たちは、お店を構える必要はない。生徒が自動的に入ってくるという感覚を持ちがちである。今後、学校選択制や、教師の選択制が進めば、教師個人の実力で生徒を集めることができるかどうかがはっきりしてくるだろう。

教育の本来の形は、教師が店を開き、そこに生徒側が身銭を切って教えを受ける、という関係だ。自分の授業はどれだけの満足を生徒たちに与えることができているのか、という切実な問いを、塾の教師は常に突きつけられている。その厳しい問いかけは、教育者にとって本質的な問いである。世の中には、塾や予備校に対して、二次的なもの、営利主義的なもの、というイメージが流布しているが、教育本来の形は学校よりもむしろ塾の方にあると、私は考えている。

塾という言葉には、完全にシステム化されてはいない、先生と弟子の血の通い合ったイメージがある。そして、学ぶ側が自分で先生を選び、自らの意思で通ってくる、というのが基本原則である。

したがって、先生の方は、しっかりとやらなければ生徒の確保が難しくなる。親しみやすさと適度な緊張感が、塾的な師弟関係の良さである。

塾的といっても塾に限るわけではない。学校教育の中でも、部活動の指導をしている先生の中には、こうした塾的師弟関係を築いている人もたくさんいる。高校野球の指導者の中にも、その教員が異動で学校を移ると、有望な選手たちが、またその先生の下に集まってくる、ということがよく起こる。甲子園常連監督と呼ばれる指導者は、生徒たちとの間に私塾的な教育関係を築く力を持っている。実際に、自分の自宅を合宿所に改造して、家族ぐるみで生活ごと面倒をみる、といった濃い人間関係を、膨大なエネルギーをかけてつくっている人もたくさんいる。

私塾的教育関係の一つの理想型として、緒方洪庵《こうあん》の適塾（緒方塾）の例を、福沢諭吉『福翁自伝』（岩波文庫）から紹介したい。

緒方洪庵と福沢諭吉

福沢諭吉は若い頃、日本を代表する蘭学者、緒方洪庵の門人となった。そこでオランダ語の書物を読む具体的な実力を徹底的に身につけた。これが、後の福沢諭吉の洋学教育の基盤になった。その勉強ぶりは実に徹底していた。しっかり枕をして寝るなどということはなく、寝るのも食べるのもそこそこにして、とにかく勉強し続ける。同窓生はたいてい皆そのようなもので、およそ勉強ということについては、実にこれ以上しようはないというほどに勉強していた、と書いている。あるとき諭吉が重い病気にかかった。緒方洪庵先生は、毎日容体《ようだい》を診てくれる。しかし自分で処方すると、かえって迷いを生じてしまうということで、わざわざ友人の医者に処方は頼んだ。諭吉はこのときの先生の親切は一生忘れられないと言う。

「今日の学校とか学塾とかいうものは、人数も多く迚《とて》も手に及ばないことで、その師弟の間はおのずから公《おおやけ》なものになっている、けれども昔の学塾の師弟は正《まさ》しく親子の通り、緒方先生が私の病を見て、どうも薬を授くるに迷うというのは、自分の家の子供を療治してやるに迷うと同じことで、その扱いは実子と少しも違わない有様であった。後世だん〳〵に世が開けて進んで来たならば、こんなことはなくなってしまいましょう。私が緒方の塾に居た時の心地《ココロモチ》は、今の日本国中の塾生に較《くら》べてみて大変に違う。私は真実緒方の家《うち》の者のように思い、また思わずには居《お》られません」

福沢諭吉が故郷に戻り病気を治して戻ってきたときの緒方先生との対話が、私は好きだ。故郷の家の借金問題も整理し、もはや自分には塾の学費を払うお金はありません、と諭吉は正直に報告する。故郷の中津(大分県)で、オランダ語の築城書を騙《だま》すようにして写してしまったことも報告した。すると緒方先生は笑ってこう言った。

「そうか、ソレは一寸《ちょい》との間に、怪《け》しからぬ悪い事をしたような、また善《よ》い事をしたようなことじゃ。何はさておき、貴様は大層見違えたように丈夫になった」「左様《さよう》でございます。今も身体《からだ》は病後ですけれども、今歳《ことし》の春大層御厄介になりましたその時のことはモウ覚えませぬ。元の通り丈夫になりました」「それは結構だ。ソコデお前は一切聞いてみると如何《いかに》しても学費のないということは明白に分ったから、私が世話をしてやりたい、けれども外《ほか》の書生に対して何かお前一人に贔屓《ひいき》するようにあっては宜《よ》くない。待て〳〵。その原書は面白い。ついては乃公《おれ》がお前に言い付けてこの原書を訳させると、こういうことにしよう、そのつもりでいなさい」

言葉の端々《はしばし》から、先生の諭吉に対する細やかな心遣いが感じられる。このような素晴らしい教育者に教育を受けた経験があったからこそ、諭吉自身も日本を代表する教育者になっていったのだろう。福沢が始めた慶應義塾は、現在、慶應義塾大学として日本最高レベルの高等教育を誇っている。今でも慶應大学の学生は、塾生としてのアイデンティティを持っている。私も、慶應大学で非常勤講師をしていたときに、書類などに「齋藤孝君」と書かれてびっくりした経験がある。教師として教えに来ているのに「君」付けは不思議なものだと思っていたら、慶應大学では、先生は福沢諭吉ただ一人で、あとは教師であろうが、皆「君」付けなのだそうだ。慶應大学に入学したこともない私までもが、福沢先生の塾生扱いになるのかと思って、福沢の残した私塾的教育関係の強靭さにむしろ感銘を受けた。

学校となってから後も、学校名から塾という言葉を外さないのも、私塾の良さを伝統として残そうという意思の表れであろう。たとえ人数が多くなり、カリキュラムが複雑化しようとも、私塾の持つ「志」を大切にしていこう、という心意気は見事だ。日本の財産である「私塾的教育関係」の価値を正しく理解し、継承している代表例である。

「会読」という学習法

緒方塾では、緒方洪庵先生が講義をするのを主としていたわけではない。先生は上級の学生たちに時折り話をする程度で、塾生の勉強のほとんどは、塾生同士の自主的な学習に任されていた。自主的といっても、システムはしっかりと確立されている。入塾した初心者は、先輩から文法を教わる。そして「会読」に参加する。一〇人から一五人程度の集まりで、当てられた箇所を日本語に訳してみせる。「会頭」と呼ばれるリーダーがそれを評価し、白玉や黒玉をつける。担当範囲はくじで決める。できない者がいれば、次の人に回す。うまく訳せた者には白玉、理解できなかった者には黒玉をつける。自分の担当範囲を全く滞りなく立派に訳した者には白い三角をつける。これはただの白玉の三倍ぐらい優等な印である。

このような会読が月に六回ほど行われる。この六回が厳しい試験に当たっている。塾の中のレベル分けは、七〜八級ぐらいに分けてある。級が上がるためには、自分がいる級で一番の席を三か月占めている必要がある。これは相当はっきりとした実力主義だ。将棋の奨励会を思い起こさせる。やる気のある若い人が相互にリーグ戦を戦い合い、そのうちの成績優秀な者が次の級に進級する。過酷なレベル分けではあるが、実に公平なシステムである。

会読のテキスト以外の書物であれば先輩が後輩に教えてやり、親切で兄弟のようであるが、会読のテキストに関しては全く当人の自力に任せて構う者がいない。人に質問することは許されていないし、質問を試みるような卑劣な者もいない。完全な実力主義なだけに、かえってぎすぎすせず、さわやかな競争の雰囲気がある。生活も、この月六回の会読を中心にメリハリができている。

「市中に出て大いに酒を飲むとか暴《あば》れるとかいうのは、大抵会読をしまったその晩か翌日あたりで、次の会読までにはマダ四日も五日も暇があるという時に勝手次第に出て行ったので、会読の日に近くなると、いわゆる月に六回の試験だから非常に勉強していました。書物を能《よ》く読むと否とは人々《にんにん》の才不才にも依《よ》りますけれども、兎《と》も角《かく》も外面をごまかして何年いたから登級するの卒業するのということは絶えてなく、正味の実力を養うというのが事実に行われて居《お》ったから、大概の塾生は能く原書を読むことに達していました」

現在の教育の世界では、レベルをはっきりと評価すること自体を嫌う傾向がある。テストを行うことを人間性に害のあることの如く嫌う教師もいる。あるいは、「学力といっても点数ではかることのできるものばかりではない、それ以外の生きる学力が必要だ」という説を述べ、結局は学力をはかることのできないものにしてしまい、実力のあるなしが問われない状況を作り上げる教師もいる。そうした曖昧さが学ぶ意欲の向上につながるのならまだしも、実際には家で勉強する時間は日本の子どもの場合、減少し続けている。

会読というのは、シンプルだが、強力な学習法である。一人だけで勉強していてはなかなか生まれにくい緊張感が、会読では容易に生み出せる。他人に実力がさらされてしまうというせっぱ詰まった緊張感が、勉強する動機づけになる。切磋琢磨という言葉どおり、お互いに磨き合う関係性を作り上げることが教育者の最も重要な仕事である。教えているだけでは本当の実力はつかない。生徒同士が切磋琢磨する関係を用意すれば、さして教えなくとも実力は向上していく。肝心なのは、そうした緊張感のある関係の場を整えるということだ。

緒方塾には、志のある若者が集まっている。その意味では今の学校教育と直接的に比較はできない。しかし、学ぶ気構えという点では、この緒方塾の塾生たちの心意気は、すべての学ぶ者たちのお手本になるものだ。

「これを一言《いちげん》すれば——西洋日進の書を読むことは日本国中の人に出来ないことだ、自分たちの仲間に限って斯様《コン》なことが出来る、貧乏をしても難渋をしても、粗衣粗食、一見看《み》る影《かげ》もない貧書生でありながら、智力思想の活発高尚なることは王侯貴人も眼下《がんか》に見下《みくだ》すという気位《きぐらい》で、ただ六《むつ》かしければ面白い、苦中有楽《くちゅううらく》、苦則楽《くそくらく》という境遇であったと思われる。たとえばこの薬は何に利《き》くか知らぬけれども、自分たちより外《ほか》にこんな苦《にが》い薬を能《よ》く呑む者はなかろうという見識で、病の在るところも問わずに、ただ苦《にが》ければもっと呑んでやるというくらいの血気であったに違いはない」

すぐに見返りがある勉強ではない。蘭学書生といえば世間では悪く言われるばかりで、すでにやけになっている、と福沢は言っている。しかも原書はやたらと難しくて会読するのに苦しむ。しかし、苦しみながらも、実は心の底で楽しんでいる。学んでいることへの誇りがあるからこそ、どんなに辛くとも充実感がある。自分たちはレベルの高いことをやっているのだ、と生徒たちが誇りを持つようにもっていくのが、教育者の仕事である。

この緒方塾のやり方は、「ゆとり教育」とは正反対の方向性である。教科内容は限りなくレベルが高い。内容を落としてしまうと、学んでいることに誇りが持ちにくくなる。現在の小中学校の教科書では、内容が薄いので、教師も教えていることに誇りを持ちにくい。内容のレベルが高いものほど、実は教師にとっては教えやすいのである。小学生なのに夏目漱石やシェイクスピアを読んでいる、という「張りのある気持ち」が子どもたちを燃えさせるコツである。

教師の何よりの仕事は、誇りを感じられるようなテキストを用意し、学ぶ者同士が相互に切磋琢磨する友情の関係性を「場」の雰囲気として実現することである。この「場」の空気は、教師自身の人格や教養、身体から発せられるエネルギーなどに支えられている。だからこそ、教育は人間が身をもって行う営為なのだ。教師の人格的雰囲気がそのまま「場」の空気になってしまう。緒方洪庵の蘭学の実力の高さと優れた人格が、彼の塾の向学心の礎になっている。教師がその場にいなくとも、生徒たちが明るい競争で実力を磨き合う。

中島敦に『名人伝』という弓の名人の話がある。あまりに弓に熟達した人間が最後には弓を使わずに鳥を落とすところまで達するという話だ。まさに、教師がいなくとも優れた学習が進むという場を作り上げた教師こそ、弓を使わず鳥を落とす名人レベルであるといえる。

発問力

教育の基本は、テキスト(教材)と問いである。内容の濃いテキストを生徒に出会わせ、そこに問いを投げかけテキストからの吸収を良くさせる。物事を考えるためには、考えるための切り口が必要だ。ただ漠然と考えるというのは難しい。何をどのような視点からどう考えるのか、ということがはっきりすれば、考えるという作業はやりやすくなる。「さあ何でもいいから自由に考えてごらんなさい」という指示では授業にはならない。テキストを生徒の前に投げ出すだけで皆ができるのならば、そのテキストはその生徒たちにとってはレベルが不十分のものだということになる。歯ごたえのあるテキストをしっかり理解させるために、発問が手助けとなる。

問いを設定することは、考えるという作業を促す。それだけに、問いを考える側は、よほど物事がわかっていなければならない。全く解答の用意のない問いを出されれば、生徒は参ってしまう。完全な正解である必要はない。しかし、納得のできる答えを教師は持っていてほしい。教師の実力が問われる勝負どころは、発問力である。問いがぼんやりとした凡庸なものであるならば、生徒たちは深く考えることができない。問いを発するという行為は、実に教育者らしい行為なのである。

宮沢賢治に『学者アラムハラドの見た着物』という未完の短編がある。あまり有名な話ではないが、私はとても好きだ。不思議な透明感のある教室が描かれている。

学者のアラムハラドは、一一人の子どもを教えていた。アラムハラドの塾は、林の中にあり、古くからの聖歌を暗誦したり計算をしたりしていた。ある日、アラムハラドは火や水について語り出した。火というものは軽いものでいつでも上ろう上ろうとしている、そしてそれは明るいものでいつでも照らそう照らそうとし、いつでも熱く、乾かそう乾かそうとしているものだ。水は、物を冷たくする。また物を湿らし、いつでも低いところへ下ろうとする。こうした火や水の性質は、どうしてそうなのかと言われても説明のしようがないほど本質的なものだ。鳥は飛ばずにいられれず、また啼《な》かずにはいられない。それはすべて生まれつき決まっている性質なのだ——と説明した後、アラムハラドは、こう発問する。

「けれども一体どうだろう、小鳥が啼かないでいられず魚が泳がないでいられないように人はどういうことがしないでいられないだろう。人が何としてもそうしないでいられないことは一体どういう事だろう。考えてごらん」

タルラという子どもは、「人は歩いたり物を言ったりいたします」と答えた。アラムハラドは笑って、「よろしい。よくお前は答えた」と答えを肯定的に受けて、徐々に深く導いていく。次のブランダという子どもは、人がしないではいられないのは、いいことですと答える。アラムハラドは、それが自分の言おうと思っていたことだと言う。善と正義こそ人がしないではいられないことなのだ、と続けた。

ここまでなら、先生が誘導的な質問をして、自分の言いたい結論にまで導いていったということになるだろう。あらかじめ台本のある演劇を先生と生徒共々上手に演じたと言えなくもない。しかし、アラムハラドは、セララバアドという子どものふとした表情に目を留める。「セララバアド。お前は何か言いたいように見える。言ってごらん」と促す。子どもが何か言いたそうな顔をしている瞬間を見逃さないところが、教師アラムハラドの優れた点だ。まさか心の内を読まれるとは思っていなかったセララバアドは少しびっくりしたが、すぐ落ち着いてこう答えた。「人はほんとうのいいことが何だかを考えないでいられないと思います」。

これは、アラムハラドが用意していた答えよりももっと奥の深い答えであった。アラムハラドは目をつぶった。目をつぶった暗闇の中では、青い火が燃え、黄金の葉を持った立派な樹木がぞろっと並んで梢《こずえ》をならしているように想像した。教師のアラムハラドの方がインスパイアされた(霊感を吹き込まれた)のだ。教師が授業中にインスピレーションを得ることができるのは、実に祝祭的な瞬間だ。教師冥利に尽きると言っていい。

私が中学生のときの数学の山田先生は、「二等辺三角形の底角の角度は等しい」という証明問題について、私たちの先輩に当たるある生徒が教師も思いつかなかった証明方法を思いついてみせた、と言ってその証明方法をうれしそうに紹介してくれた。その証明は、二等辺三角形をひっくり返した三角形をもう一つ設定し、その二つの三角形が合同であることを証明する、という何とも不思議な魔法のような証明の仕方であった。私の印象に残っているのは、先生がそれをいかにもうれしそうに誇らしく語ってみせた、その表情の明るさであった。

授業中に生まれた素晴らしいインスピレーション。それこそが教育の祝祭的瞬間であり、天からの贈り物だ。こうした瞬間が訪れるためには、教師の側に柔らかな心が必要だ。自分の答えだけに凝り固まっていては、生徒が安心してインスピレーションの羽を広げることができない。先生の人格的な温かさと、見識に支えられた余裕とが、生徒の自由な発想を促す。

アラムハラドは、セララバアドの答えに心から同意する。そして力強く、「人は善を愛し道を求めないでいられない。それが人の性質だ。これをおまえたちは堅くおぼえてあとでも決して忘れてはいけない」。お前たちは皆これから人生という非常な険しい道を歩かなければならない。そのどこを通るときもこれを忘れるな、と熱く力強く語る。本当に大切なことを伝えているのだ、ということがはっきりと、子どもたちにもわかる伝え方である。

問いを吟味し研ぎ澄まし、勝負をかけて臨む。そして子どもたちとのやりとりの中で、より考えを深めていく。そうした開かれた場づくりが、教師の仕事である。

1　教育力の基本とは

学び上手であること

教育するという立場に立つ人にとって、いちばん基本的な条件は先述したように、上手な学び手であるということだ。自分自身が学び上手だということである。学習するのが下手な人が教え上手ということも、全く考えられなくはない。しかし、ことが教えるという行為である以上、まず自分自身が学び手として一応のレベルに達していることが、第一の条件だと私は思っている。

というのは、ここでいう教育力とは、一つの分野の技芸、技とか芸を仕込むというだけではなく、学ぶこと一般の教育も含むからである。

たとえば、世界史とか物理の授業を受けたら、世界史や物理ができるようになるというだけではなく、その授業を受けていたことによって、知識の獲得の仕方全般について、コツを摑むことができたとするならば、その教師の教育力は優れているということになる。

小さいころにピアノを習った人がやめてしまったとしても、それが全く無意味だったかというと、必ずしもそうではない。教育力のある先生が教えた場合、ピアノを習ったプロセスを応用すれば、ほかのこと全般の上達が助けられる。そのような指導を行うことができたときに、かなり深い教育が行われたということができる。

そういう教育力を目指すとなると、自分自身がまず学ばなくてはいけないということになる。ここは意外に忘れられているところだ。

「人に何かを教えたい」という気持ちを「教育欲」と呼ぶとするなら、これは人間の欲望のなかでも大きなものだと私は考えている。一種の支配欲にも少し似ている。変形欲(自分の力で人を変形させたい)という、何かやみくもな欲望を持つ人もいる。そういう人のなかには、教師という仕事に就いていたとしても、自分自身が学ぶことをとうにやめてしまっている人も少なくない。それは教壇に立っている人を見れば、ほとんど即座にわかるものだ。

教師が学ぶことをやめると、教育力は落ちる。というのは、生徒の側はその先生の勢いのようなものを感じとり、それを学ぶ動機に変えるからである。その先生がやる気に満ちていて、自分もまだうまくなりたい、もっとこの世界をよく知りたいという勢い、遠くへ向かっていく強い力を見せたとき、その力に反応して、「ああ、自分もそういうふうになってみたいな」と生徒も思うものなのだ。

私は教育に鮮度をもたらす工夫として、「すごいよ！ シート」を提唱している。三つのポイントを挙げて、なぜそれがすごいのかをシートに整理して授業に臨む。そして、「ね、すごいでしょ！　だから、これって学ぶ価値があるんだよ」と伝える。教師自身がまず「これってすごいよ！　すごすぎる!!」という感動を新鮮に受けることで、生徒の興味を引き出すことができる。

学ぶことで喜びを得た場合

教育の効果があったかなかったか、教育力があるかないかということは、長時間、生徒に向かって教えているかどうかということには、あまり関係がない。相手の学習が進んでいるかどうか、ということに尽きる。

だから、一年間授業をしたけれども相手は伸びなかった、という場合、これは教育をしていないということになる。逆に上手に生徒に本を読ませることができて、自分自身は教えなかったけれども、一年後に生徒が知識を身につけ、考える力を身につけていたということになると、これは教育が行われたということになる。教育力という場合、いわゆる教えるというイメージそのものではないということなのだ。

つまり、まず基盤になるのは、教え上手ということ以前に学び上手ということである。

では、学ぶということについて基本になるものとは何か。これは自分自身が学ぶことによって喜びを得たという経験があること、すなわち、「学ぶということは、ものすごく楽しいことなんだ」というはっきりとした自覚があるということだ。

受験勉強というものは、勉強のなかでは面白くないものとされているが、私の場合はその受験勉強をとおして、ふと勉強というもののありがたみがわかってしまった瞬間がある。

私は勉強というものがあまり好きではなかったが、一科目ずつできるようになるにしたがって、好きになっていった。数学なども、なかなか最初は楽しいと思えなかったが、微分・積分ができるようになってくると「ウーム、こんな美しくかつ便利なものをつくったライプニッツやニュートンって、なんて素敵なんだ」と思うようになった。

ある現象を説明するために必要だから微分・積分を発明したというのがニュートンだ。このプロセスは素晴らしく美しい。こういう数学の美しい技術というものを実際上の研究の必要のために自ら編み出した人がいるとなると、それは非常に神々しく輝く人類の奇跡と思えてくるのだ。

そういうふうにわかってみると、ドップラー効果にしても「ああ、ありがたいものだ」とか、元素の周期表にしても「これは人類の奇跡だな」と感動できるようになった。

また、ニュートンのおかげで天体同士の関係も説明できるようになって、天体の軌道を予測できる。万有引力の法則によって私たちの身の回りのいろいろなものの運動と、宇宙レベルの運動が同時に説明できる。この理論は、人類にとって画期的なものだ。初等物理学では、$F=ma$というニュートンの公式を最初に習うが、力が質量×加速度であるというのはわかってしまえば、そんなものかなと思うものの、アインシュタインの$E=mc^2$と同じように、こんなにシンプルに世界を説明できていいのだろうか、という感動がある。

そのような美しい、しかも実際的な学問の結晶を凝縮したのが教科書であり、先生たちはそれを使って物理学という人類の大成果を教えてくれるという手はずになっているのだ。だが、せっかくのその物理という教科を、最近の高校生は「自由な」選択ということで選択しなかった人が多い。現在、物理履修者は二割程度である。私の高校時代は、物理、化学、生物、地学、地理、世界史、日本史、政治経済、倫理社会、すべて全員必修であった。今はそのことに感謝している。

自由な個性を伸ばすということで教科の選択制がとられているが、私は全くそういう論理を信用していない。それが必要ないと高校生にどうしてわかるのか、ということだ。自分たちに物理が必要でないと、なぜ物理を勉強していない者にわかるのか。

優れた物理の先生に出会えば、それが面白く、好きになるという可能性が残されていたはずである。だからカリキュラムというものは、子どもが選択するものでは元来ない。教育する側が考えに考え、これだけは徹底的に身につけさせようと考えて、それを行うにあたっては不退転の決意で学ばせるものなのだ。

教科の選択の自由ということに関して言えば、生徒にカリキュラムをまかせてしまうと、安易な方に流れる危険性が高くなる。二〇〇六年一〇月に、世界史などの高校の必修科目を履修させていない学校が全国に多数あることが発覚した。「生徒の受験のためにやった」という理由は、全く教育の本質に反している。学ぶ権利の侵害である。学校ぐるみで安易な方向に流れてしまうのだから、「選択」を過度に許容すれば、受験科目以外は軽視されることになる。教育内容を学校側が軽視することは、教育の自殺行為だ。特定の勉強がいつ、どんな形で役に立つのかは、必ずしも予測できない。だからこそ、教育側はカリキュラムを真剣に考えなければならないのだ。

その教科を学ぶうちに好きにさせるのが教師の腕の見せ所だ。しかし、たとえその一年間で好きにならなくても、それでもなおかつ、強制力をもって身につけさせる。そのことによって、のちのち感謝されるというのが美しい教育の姿、というものではないか。

「あの授業、ほんとうに嫌になるほど厳しかった」けれど、一〇年後になって「ありがとう」と言えるのならば、それは大変いい関係だ。成果が目に見えず、感謝されないことも当然ある。

「教育という仕事ははかない」と斎藤喜博《きはく》はよく言っていた。斎藤喜博というのは、昭和を代表する小学校の校長先生で、情熱にあふれた実践者だ。いろいろな教育方法を工夫して、教授学研究の潮流をつくった人である。その人が「教育とは、はかない仕事だ」と言ったのだ。はかないというのは、ものとしては残らない、相手に感謝されるとは限らない、むしろ嫌われたりする、意図が十分には伝わらない、といった様々なさみしさを一言にした表現だ。

膨大なエネルギーをかけて準備し、そして心を込めてやったとしても、聞かない生徒さえいる。ましてや「先生のおかげで」といって毎年挨拶に来るというのはごく稀だ。教育では、いわゆるリターン（報い）というものが、必ずしもはっきりしない。だから、「何をやったから、どのくらい見返りがある。じゃあ、このぐらい見返りがあるんだったらやります。見返りがないのだったら、やりませんよ」という、そういうギブ・アンド・テイク的な人間関係しか結べない人には向いていない仕事だといえるだろう。

教育者には、生徒と一緒に過ごす時間をある種お祭り的に捉える、というぐらいのタフさがほしい。むしろ「自分のエネルギーをとってくれ」という感じである。「知識を私がまき散らすので、みなさんは迷惑だろうけれども、それを受けとって、吸いとってね」「あふれてしょうがないので、見返りどころか、とってくれるだけで十分です」というような人がやればいいのだ。そういうエネルギーが枯渇している人が、教師という職業に就いて教えているというのは、犯罪的なことと私は思っている。

太陽は、見返りを求めない。ひたすらエネルギーを放射し、地上の生命を生かしている。教師は太陽のようでありたい。ニーチェは、こう言う。「見よ、わたしはいまわたしの知恵の過剰に飽きた、蜜蜂があまりに多くの蜜を集めたように。わたしはわたしにさし伸べられるもろもろの手を必要とする。わたしはわたしの所有するものを贈り与え、分かち与えよう」（前出『ツァラトゥストラ』）。

教師は、蜜蜂たれ！　私はこれを心の標語にしている。

文脈上のつながりをとらえる力

いわゆる暗記が非常に良くないことで、考えるということがいいことだ、とよく言われる。しかし、たとえば世界史において考えなければいけない問題というのがあったとして、そのことについて知識の暗記（記憶）のない人が考えることは、ほとんど不可能である。考えるという行為が知識と独立してあると考えること自体、実は勘違いなのだ。

もちろん、些末な知識ばかり問うような問題もあるが、それは問題が悪い。そんな細かいところまで知らなくてもいい、ということもたしかにあるだろう。しかし、個々の知識が文脈によってつながり、一つの論理のまとまりとして、自分でもう一回再生できるということになれば、その知識は丸暗記ではなく、有用な知識ということになろう。

たしかに知識の中には、独立した離れ小島のような知識もある。それを覚えてどうする、というタイプの知識だ。それでは記憶に残らない。個々の知識を陸続きにするような説明の仕方が教師には求められる。教師というのは、当の知識を記憶する必要性を説得力をもって語れないといけないのだ。それは大きく言えば、「文脈力」ということになろう。

「文脈上、これはやっぱり知らないといけないいんだよ」「これを知らなきゃ、これが理解できないでしょう」というように「全部が文脈としてつながっているんだよ」ということを説明できれば、個々の知識を記憶することの意味を説得できる。だから、記憶というのは元来それだけをただ丸暗記するというのではなくて、文脈の理解とともにあるものだ。それが正常な記憶というものである。

現在、日本の教育が目指そうとしている一つの方向として、ある程度まとまった考えが述べられる、ということがあるが、私のいう文脈力の必要は、そのことにもつながっている。たとえばA４の紙に四〇〇字詰原稿用紙三枚分ぐらいで、何か考えをまとめる力、というのが中教審の中間答申で出されている。「原稿用紙三枚分ぐらいで、一つのテーマについてちゃんと書けるようにすべし」ということなのだ。

あるテーマについてまとまった量の文章を書くためには、ある程度の知識が必要だ。しかし、知識の引き写しだけでは、アピール力が足りない。書き手の価値判断も含み、個人的な経験というものもどこか行間からにじみ出るような形で、しかも知識の豊富さも示すような形で文章が書き上げられる、そういう能力がいま求められている。

自分で問題(テーマ)を設定し、情報を整理し文脈をつくり、自分の経験世界とも文脈をつなげていく力が求められているとすると、まず教師のほうにそのような文脈力がないといけない。ものごとの文脈上のつながりというものをはっきり自分自身で捉えていて、それを相手に伝えることができる力が必要になる。そうでないと「なんでそんなことをやんなきゃいけないの」と言われても答えられない。「黙ってやっておけ」と言うのでは限界がある。

杉本鉞子《えつこ》さんの書いた『武士の娘』(大岩美代訳、ちくま文庫)という本には、大変厳しい勉強の仕方が記されている。武士の時代であるならば「黙ってやっておけ」で全部済む。「『論語』をなぜやるのか」という質問が許されていない世界であり、「やれ」と言われたらやるしかない。そして人生を過ごすうちに「ああ、やってよかったな」というふうに思えてくる。そういう順序だったわけである。

だが、いまの社会は、個人の主体性が重んじられるようになっていて、「何でもいいから、とにかくやれ」というのでは、説得力がない。だから教師としては「ただやれ」という強制力だけではなく、むしろそのことに対するあこがれを喚起する力が重要になるのだ。

夢中になった授業の記憶

「やってみたいな」「ものすごく面白そうだな。そそられちゃうよ、これ」という具合に、その気にさせる力は、大切な教育力である。それは誘惑力と言ってもいい。

たとえば物理学に異様に燃えているクラスがあったとしたら、それは非常に祝祭的であろう。このクラスは文系なのに全員が物理に夢中になっている、という例があったら面白い。

私の中学校で歴史を習ったときの浅場先生の授業は大変に人気があり、最初の授業を受けたときに「この先生は面白い」と全員が思った。面白いというのはギャグを言うという意味ではなくて、専門的知識に優れていて、「歴史ってすごいな」という感銘を受けたのだ。しかも、その先生は一学期の二回目の授業のときには、担任でもないのにクラスの生徒全員の名前を覚えていた。その先生の教養と情熱に、「あこがれ」の気持ちが湧き上がり、中間・期末試験に燃えた。

小学校四年のときの杉山先生は、作品を展覧会に出すほど書道がお上手であった。その先生が、書道というのはこんなに素晴らしいんだということを書いて見せて、生徒たちに言ったところ、クラスに書道ブームが起きて、休み時間も昼休みも練習するという異様な風景が出現した。私も影響を受け、小学校四年のときが「瞬間最大風速」でいちばん書道がうまかったのだ。みんな展覧会に作品を出し、書道の展覧会を見に行ったりもした。

これは感化ということである。強制しているわけではないのに、人に影響を与えている。その先生がものすごく書道が好きだという、あこがれのベクトルを持っていたために、私たちはそれについつられてしまい、始めたところ、書道に集中しているのが面白くなって、家に帰っても「書道、書道」という時期を送ったわけである。

スポーツの場合、ゲームそれ自体の面白さがわかりやすいから子どもが付いてきやすい。しかし勉強の場合、最初から面白いばかりではない。たとえば微分・積分の原理は大変面白いものだが、そこに至る一つひとつのステップが面白いかと言うと、なかなかそう簡単にはいかない。

実は、これはスポーツでも同じなのだ。スポーツでもある程度以上うまくなるためにはかなり基礎的な訓練、反復練習を必要とするので、大きく言えば上達の構造は同じなのである。だがそうは言っても、勉強というものはちょっと敷居が高い。その敷居にちゃんと階段をつけたり、スロープをつけて上りやすくする、というようなことが必要なのだ。

向上心を技化する

教育力の条件として、まず自分自身が学び手として優れていること、を挙げた。もう少し突っこんで言うと、向上心の技化《わざか》ということだ。向上心(もっと自分を高めていこうという気持ち)は誰でも持ったことがあるに違いない。だが、それを技にできているかどうか、というところになると違ってくる。

技というのは、いつでも、どこでも好きなときに用いることができるというところに特徴がある。したがって、向上心を技にできているということは、自分の中の向上心を沸き立たせようと思うときに、いつでもそれができるということだ。もちろん、全部いつも本気というのでは、人生疲れてしまうから、普段は必要ないが、「これをやってみよう」と思ったときに、向上心をしっかり沸き立たせることが自然にできる人は伸びていく。

たとえば、仕事の中には、時給単位で働く比較的簡単なものがある。この場合、一応ミスなく仕事をこなせば、問題はない。強い向上心を持つことは必ずしも求められていない、このような状況においても、向上心が技化されている人は、工夫をする。向上していく自分が好きなのだ。そういう人は、「向上心を求められない仕事には耐えられない。だから、もっと勉強してもっと向上していける、そういう仕事をやりたい」というふうに思う。そういうやむにやまれぬ向上心というものが身についているかどうかが、教育力にとって重要なのである。

本来、勉強は知的向上心を磨く砥石である。学歴という言葉に反感を持つ人は少なくないが、冷静に考えれば、それは、知的向上心を地道に磨いてきたこと、向上心を持って努力してきたことの一つの証だといえる。就職に際して、ここまで真面目に向上心を持ってやってきたという人に一定の評価を与えるというのは、私はある意味で理にかなっていることだと思う。そういうことを全く無視して、学歴無視こそが人の自由を認め、人の個性を端的に見ることにつながるのだという論があるが、社会全体の向上心を高めていくという点から見て、生産的な論ではなく、若い人に対して親切でもないと私は思う。

勉強がすべての基準では、もちろんない。しかし、「私たちの社会にとって、この知識は必要だ」と考えて、カリキュラムを組んでいるのだ。そのカリキュラムをきちんとこなすプロセスを通じて、知識とともに向上心を技化していく。これが教育の主たる役割である。

勉強することと自制心

勉強するといいことがあるのだが、それが何だか、おわかりだろうか。勉強するといちばんいいことは、知識が増えること以上に、頭が良くなるということなのだ。

「勉強すると頭が良くなる」ということは意外に見落とされているが、「なぜ勉強をするのか」という問いへの一つの端的な答えである。運動すると運動神経が良くなる。運動部に入って何年かやっていると、元はそんなに動きが鋭くなかった人でも、ある程度、体が動くようになる。それと似ている。勉強すると頭が良くなる。頭が良くなると同時に心のコントロールもうまくいくようになる、というのが大方の筋道だ。

勉強しすぎて、ものすごくキレやすくなったという人の率よりも、ぜんぜん勉強しないでブチキレている人の率が圧倒的に高い。勉強すると頭がおかしくなるかのような言説をまき散らす人がいるが、基本的にそういうことはない。

勉強というものをすることによって、ある種の自制心という、メンタルコントロール(心の制御)の技術も学ぶことができる。そういう心の技がセットで付いてくるわけである。これは、言ってみると人類の長年の知恵である。

考えてみれば当たり前のことにすぎない。勉強するということの基本は、人の言うことを聴くことである。耳を傾けて我慢して聴くという心の構えが求められる。「おれが、おれが」という自己中心的・独善的な態度を一度捨てる必要がある。「自分に理解できないことは全部価値がない」という、自分の好きか嫌いかが世界をすべて決めるという態度では何も学べないのだ。

先人たちの発見したことに対して耳を傾け、しっかりと聴くということが、学ぶということの基本だ。そうした学ぶ構えができている人は、ほかの人に対しての意識を持つこともできやすい。人の言葉を聴いている間は、自己中心的な態度をやめているということだからだ。

本を読むということも、同じく聴く構えを要求される。著者に対して一〇〇パーセント同意するのではないまでも、耳を傾け虚心坦懐に、つまり心をすっきりさせて、読むわけだ。もちろん反発もあるかもしれないが、まずは相手の言っていることを受け入れてみようという、

「積極的に受動的な構え」を、勉強・読書を通じてつくり上げる。これが学ぶ構えの基本なのだ。

学ぶ構えの基本は、受動的であることに積極的な「積極的受動性」である。自己表現の意欲があるのは構わない。表現するためにいろいろなものを読んで、自分のものにしてそれで表現するのが、筋道なのだ。モーツァルトが音楽の技法・文法を修得して表現したように、である。知識や技を吸収するときには、人の言っていることに耳を傾けるという素直な態度が必要である。素直であるということが、学ぶという活動そのものの持っている本質なのだ。

もちろん反発しながら、ぶつかり合いながら学ぶというやり方もないわけではない。そのテキスト(教材)と格闘してこれを絶対に否定してやろうと思ってやる、ということもないわけではないが、基本的には学ぶという活動は「素直さ」を育てるものである。だから勉強すればするほど意固地になっているとしたら、これは学び方がどこか狂っているのではないか。偏狭な考えになっていくようでは、学んでいる甲斐がないことになってしまう。

そういうわけで、勉強をすると素直に吸収する構えが技となる。これがすなわち、頭自体が良くなるということだ。だから「頭がいいから勉強ができる」とか、「頭が悪いから勉強ができない」などとよくいうが、そういう考えはあまり発展性のある考え方ではない。実際、「頭の良さ」はトレーニングによって明白に向上する。「頭」と私たちが思っているものは、もちろん情報の高速処理もあるが、おもに文脈をつける力を指していることが多い。その文脈をつけて理解する力というのは、やればやるほど伸びていくものなのだ。

勉強というものはそういう意味で、まず頭を良くするし、ある程度自制心をもって心をコントロールするということに大変役立つ。もちろん、その上に知識そのものの価値ということが乗っかってくる。

文脈をしっかり捉える理解力の養成は、学問共通の効用である。たとえば江戸時代の人がやっていた学問というものは、現在の最先端の学問とくらべると、ずいぶんと遅れている、もしくは狭かった。けれども、それを真面目に勉強した、たとえば新井白石のような人の知性が濁っていたかというと、それなりに頭がすっきりしている。

だからこそ、彼の著書『西洋紀聞』にあるように、イタリア人宣教師・シドッチを訊問した際に、言語の壁を越えたやりとりが可能だった。たとえ、文化・宗教・母国語が異なっていたとしても、理解力のある者同士の間では、密度の高いコミュニケーションが成立するのである。

古今東西なんでもいい。たとえば、古代メソポタミアの『ギルガメシュ王ものがたり』(ルドミラ・ゼーマン文・絵、松野正子訳、岩波書店)は現代人にも理解可能である。粘土板に楔形文字で彫られていた物語がようやく解読でき、読んでみたところ、いまある小説等の主題がほとんど入っていると思われるような神話であった。

古代人の思考様式であろうが、頭のしっかりしている人の言っていることは全部わかるというのが、ありがたいことなのだ。頭のしっかりしていない、何を言っているかわからない人の言葉は、古今東西を問わず翻訳が難しく通じにくい。

私たちは、理解を共有できるという信頼感を持ってこの社会を形成している。だからこそ私たちは他人を信用できるし、そういう共通の理解の下に立って、それを固定化したのが社会のシステムというものなのだ。そう考えてくると、私たちが社会に対して信頼感を持ち、他人に対してある程度通じ合えるという確信を持てるのは、お互いに頭のしっかりしたはたらきをもって理解を共有できるからなのだ、といえよう。

専門的力量と人間的魅力

教師に求められるものを大きく分ければ、専門的力量と人格的魅力になろう。一つは、知識、専門性において大変優れている、その道において卓越しているということ。もう一つは、コミュニケーション能力も含めて、人間的な魅力があるということ。

この二つは教師にとって不可欠の能力だ。教育に従事しない研究者で、人とコミュニケーションをしないですむのならば、専門的力量に優れているのみでやっていくことも可能かもしれない。私の個人的経験では、研究者の中には明らかに人格的に問題があったり、コミュニケーション能力に問題があったりする人が少なくない。だからといって、その人たちの研究能力が低いとは必ずしも言えない。ただし教育力ということに関して言うと、コミュニケーション力と、醸し出される人格的な魅力が、重要な部分を占めるのは間違いない。

教育の場合、気に入らない嫌な教師だと感じると、学ぶ意欲は一気に消え失せてしまう。教師が嫌いだからその教科が嫌いになった、という例はとても多い。だから教師には、コミュニケーションもとれ人間理解もできて、場を引っ張っていける力が必要になるのだ。

小中高生の場合、そもそも聴くという構えができていなくて、授業にならないということがある。そのときにどうやってわからせるか。

罰や成績評価による統制だけでは本質的な解決にはならない。教育本来の魅力によって引っ張っていくほかない。その魅力の中心は、自分に力がついてきているという生徒の実感だろう。学んでいる生徒のほうが、あまり信用していなかったけれども、「ちょっとやってみたら、ああ、すごくできるようになった」とか「すごくおもしろかった」ということで最初の一歩が踏み出せる。それを二、三回くり返しているうちに、「ああ、この先生は信用できるな」という反応が起きるはずだ。

生徒は常に先生を評価、はっきり言えば値踏みしている。この先生は果たして信用できるかどうか、力があるのかどうかというのを、実際、小学生は小学生なりにはっきりと値踏みする。

教室が荒れてしまって子どもがいうことを聞かないというのは、生徒の信頼感を失っている先生に責任がある。

もちろん、個人的にいろいろ大変な問題を抱えてしまった子がいるような場合は、ケアが必要だ。教育以前のケアが必要、という場合がある。それは別として、ほとんどの子どもは、先生の力量次第で良くも悪くもなる。先生が替わったとたんに、ものすごくやる気になった、明るい雰囲気になった、駄目になった……などというのは、小学校で毎年見られることなのだ。だから、教室の雰囲気、生徒の雰囲気を見れば、その先生の教育力は即座にわかる、ということになる。

教師の教育力を見たいのなら、先生の言っていることよりも、教室の前のほうに立って生徒の顔を見ていたらわかる。生徒がどれくらい集中しているのかということで、その先生の教育力がわかる。一応授業の形をとっていても、生徒の頭がはたらいていないで眠っているとすれば、教育として意味がない。

恥ずかしいという気持ち

生徒の体・心・頭脳が普段よりもずっと活性化している、そのような状態をつくり上げることと自体が、教育力ということになろう。その状態をつくり上げるための方法は、教師自身が自分の身体で魅力を示し、あこがれの気持ちでモチベーションを高くさせるということだ。

　こうした引っ張っていく動機づけのほかに、「知らないと恥ずかしい」「できないと恥ずかしい」という気持ちをうまく利用する動機づけもある。日本は恥の文化で、西洋は罪の文化である、という見解を『菊と刀』（講談社学術文庫）に書いたルース・ベネディクトは、日本には来たことがない。だが、戦争中から、占領後の日本をどうしたらいいのか、という国家的な指令の下に日本を研究していた。文献から研究して、日本人の価値観がどのように西洋人と違うのか、精神構造がどう違うのかということを分析した。

　この本には、日本人は、絶対的な存在に対して罪であるからやらない、あるいは何かをしてしまったときに罪の意識を感じる、ということではなく、世間様に恥ずかしい、申し訳がたたない、あるいは「そんなことをしたら恥ずかしいでしょう」という、他人の視線を意識した上での自己コントロールをすることが指摘されている。

　それについて、私たちはなんとなく了解できる。私自身、絶対者としての神に罰せられるという罪の意識は感じることは少ない。たとえば道に紙くずを捨てるということができないのは、「そんなことをするのは恥ずかしい」という意識があるためだ。公共心がない行為を見ているだけで腹が立つ。だから自分がやるのは恥ずかしい、ということになる。

　そういう恥ずかしいという気持ちをうまく使った場合には、向上心を刺激することにもなる。

たとえば、教養がないということはとても恥ずかしいことなのである、という雰囲気を教室のなかでつくったとする。「知識がない、教養がないということは、とてつもなく恥ずかしいことなんだ」という空気をなんとなく——常に教師自身が言いながら——醸し出したとしよう。そうするとクラス全体に「本を読まなきゃ」という水位が上がってくるのである。

一九八〇年代を境にして、日本では教養がないことがちっとも恥ずかしいことではない、という未曾有の時代に入った。

日本の千数百年の歴史においては、「字が書ける」「本が読める」「知識がある」ということは素晴らしいことであり、そうでないのは恥ずかしいことなのだという考えは当たり前のように共有されてきた。けれども、「別にそんなの、どうでもいいじゃん」という空気が、経済のバブル時代の状況と連動して生まれてしまったのだ。

そういう空気が漫延している中では、教養がないと見られる人に対して、人格的には否定しないまでも、「ちょっとどうかしら」という肌寒い空気を送ってあげるといい。「エッ！　知らないの？　ごめん、ごめん」と、知らない人を目の前にして、それを語ってしまったときの気まずさみたいなものをこちらが示して、相手を気まずくさせるという技術、それをお互いにぜひやってほしいものだ。

知らないことを恥ずかしいと思っていた時代から「知らなくて、別にいいじゃん。ぜんぜん恥ずかしくないし。もう、ばかのほうがいいし、気楽だし」というような前代未聞の教養無視の時代に突入してしまった現実は見過ごせない。この事態はかなり深刻であり、本を読まなくて平気でいるということが大学生の間でも普通になってしまった。二〇〇六年の讀賣新聞社によるアンケートでは、高校生のうち「一か月に一冊も読まない」人が四八パーセントにも上った。読書ばなれの傾向は続いている。本を読む習慣のないことはおそろしく恥ずかしいことにもかかわらず、恥ずかしいというふうに思う空気が流れていないためにこんなことが起こってしまうのだ。

だから、まず「教養がないということは恥ずかしいことなんだよ」というような、そういう大きな空気をつくっていくことが必要である。だから、本を大量に読みつづけるということを私は教育者の条件にしている。もちろんこれは別に文系、理系を問わない。向学心というものの一つの柱が、本を読むということなのだから。

本を読むということをたくさんやってきた人は、読書の重要性を疑うことはない。向学心があれば、当然本を読むが、本を読むことによってどんどん向学心というものも膨れ上がっていくのだ。

2　真似る力と段取り力

監督－選手と、教師－生徒

近年の教育界は、「生きる力」という漠然とした言葉にふり回されてきた。現在批判を浴びている「ゆとり教育」も、このあいまいな言葉をより所にしていた。

私は、生きる力の内実をはっきりさせるために、具体的な指標として、真似る力、段取り力、コメント力という三つの力を挙げたことがある。そのうちの真似る力というのは上達の普遍的な原理である。何事も、まず真似てうまくなる。

教師というのは、上達ということに関してのプロフェッショナルのはずである。だから、上達とはどういうプロセスで進むのか、ということを自分の体験を通してしっかりと認識できていることが、まず教育者の条件になる。なんとなくうまくなってしまった人というのは、必ずしも教師に向いているとは限らないのだ。

自分がいろいろな困難な事情にぶつかりながら、それを克服し、課題意識をもって壁を一つひとつ乗り越えてきた人は、ほかの人のつまずき・障害に関しても理解があるので、教師としての資質がある。

イングランドのチェルシーというサッカークラブで監督をやっているジョゼ・モウリーニョ氏は、選手としては全く芽が出なかったものの、監督としては、いま世界でトップクラスになっている。この人はメモ魔。メモをひたすらとる。あらゆるときにメモをとっており、試合中もメモをとる。それでハーフタイムに、指示を的確に出す。その指示によって選手たちは動きが見違えるようになって、戦略的にも効率が良くなるという名監督である。

選手時代にはそれほどではなかったけれども名監督になった、という例は数が多い。監督やコーチに求められるマネジメント力、すなわちやりくりして、チームを管理し運営していく能力というのは、プレーヤーとしての能力とはまた少し別なのだ。

教育の世界でも少し似たことはある。もちろん、自分自身が勉強ができたほうがいい。たとえば、自分が理科や数学のいろいろな喜びを自ら感じていないのに、その喜びを伝えることは、まずできない。

しかし、教師はプレーヤーというよりは監督だ。学ぶ喜びを自分自身が感じているということが条件ではあるけれども、学問がとてつもなくできなければ教壇に立ってはいけない、ということでは必ずしもない。学ぶことの面白さ・大切さを伝える総合力が大切な仕事なのだ。

真似る力

上達ということで言うと、ある事柄がうまくなるときに、それだけがうまくなって終わりの人と、そのことを通じて上達力とでもいうべき応用の効く力が身につく人とがいる。その上達力を身につけた人というのは、それ以外のことに対しても応用が効くので、次の事柄に向かったときの上達が早くなる。

たとえばある人が中学か高校の先生になって、好きな部活の指導をしたとする。自分は野球部の出身なので、とにかく野球を教えたい、というわけだ。だが、単に野球を教えるのと、野球を通じてその後一生生きていくために必要な上達の極意を伝えるのとは、違うことである。

厳しい練習をして、野球はうまくなったとする。しかし、生徒たちが社会に出たときに何か新しい課題を与えられて、五里霧中、頭は白紙という状態になるのでは、学校教育の中で野球をやった意味がちょっと少ない。鍛えられたのは指導にしたがう根性だけ、従順な心だけというのでは、ちょっとさみしい。

勉強や部活動を通して上達の普遍的な原則を相手に伝えるのだという意識を常に持っている人が、教育力のある人だと私は思う。

この生きていくために大切な上達力の基盤になるのが、真似る力だ。「真似る」というのは、何となく「ひとまねこざる」のようで、もう一つ聞こえがよくない。だが実際には、この行為は人間が新しいことを獲得するときに、どうしても必要なことなのである。

真似る力の重要な点は、感覚を捉えるということだ。イチローは二〇〇六年のシーズン中、二〇〇本安打のプレッシャーにつぶれそうになったとき、こんなきっかけで危機を脱出した。

「僕、あの日の練習で、キャッチボールのときの投げ方を変えたんです。僕の中にはまだピッチャーだったときの感覚が残っていますから、いろんな人の真似をしたりしてキャッチボールしてるんです。子どものときに真似した小松(辰雄)さんとか、江川(卓)さんとか、桑田(真澄)さんとか……そのときは僕、牛島(和彦)さんになったんです(笑)。そうしたら、リリースのところだけに力が入る感じがあって、おおっ、これはいいなぁ、この感じがバッティングにあったらって……そこからなんですよ、インパクトの瞬間だけ力を入れる感覚で打てるようになったのは」(「Ｎｕｍｂｅｒ」二〇〇六年一一月号)

イチローでも、いろいろな人の真似をして上達した。しかも大事なのは、真似することで感覚を摑んでいったということだ。

全く誰からも学ばないで新しいことを始めるということは、歴史上あまり例がない。天才といわれている人、モーツァルトにせよ、ピカソにせよ、どの領域の天才も、無から生み出す独創性があったというよりも、学習速度がほかの人よりも速かったということだと思う。

かなり速い速度でほかのものを吸収してしまうと、それらを組み合わせて自分のスタイルをつくっていくことができる、ということなのである。だから、学習のプロセスとしては、まずはそこまでにあるいろいろないいものを真似して吸収する。その上で、それらをアレンジして自分なりのものを提示する。これは普遍的な原則だと思う。

ところがクリエイティビティ（創造性）ということに関して、全く人のものを見ないで、影響を受けないで自分の内側から湧き出るものに耳を傾けるといいものができるというような、根拠のない幻想が広まってしまったので、模倣力というものが軽んじられてきた。

復唱方式と口伝

たとえば復唱方式で、寺子屋のように先生が上手に『論語』等を読んで、子どもたちが日本語らしく復唱するということは、これはすでに真似る力だ。英語でも日本語でも音読を聞くと、区切り方で、その人が意味を理解しているのかどうか、ということもわかる。

谷崎潤一郎の『春琴抄』は日本語として完成度の高いものだ。その『春琴抄』の場合は、点や丸が文章にほとんどない。だから切れ目がどこかわからない。一文が一ページぐらい続いたりする。

日本語のわかっている人にとっては、句読点はないけれども、ああここで実際には切れているんだということはわかる。それを初見（初めて見た状態）ですらすらと音読できたとする。そうするとその人は、明らかに日本語の能力が高いということになる。

だが、子どもたちにそれを読ませると、大学生でもそうだが、つっかえつっかえになって変なイントネーションになる。そういう変な読み方をしている場合は、どこで文章が終わるのか、予測力がないのだ。文章の構造が身についていないから、ここで終わるという予測ができない。

この訓練のために、まず先生が上手に読んでみせる。続いて子どもたちがそれを復唱する。口伝えだ。口伝《くでん》のようなものである。

かつては能の芸など、世阿弥が言うように「ほかの家に芸の秘密が漏れたら、終わりだ」という考えだった。だから、世阿弥の『風姿花伝』とか『花鏡』が出てきたのは最近——明治末期——のことなのである。それまでは門外不出の秘伝の書だった。

このように、大切なことは言葉にせよ技にせよ、身体から身体へ伝えるということを前提にした教育方法で伝えられてきた。それがむしろ日本の文化の主流だったのである。

一対一で行われる、高い集中力の場が修業の場の厳しい雰囲気を生んでいた。そのような空間で初めて伝えられるものがあった。かつては身体から身体へ伝えていく教育方法があった。

しかし考えてみると、人の口から出たイントネーションをそのまま真似てみる、そのことによって自分のなかに文化的な内容を吸収させていく——これは別に能の世界に限らず、一般的に行われていることでもある。

そのようにして学ぶ人は非常に上達が早い。料理の世界などでも、どこのレストランに行っても、最初は鍋洗いばかりさせられる。場合によると、二年も三年も鍋洗い。そのときにボーッとしているかというと、必ずソースの味とかいろいろな段取り、ほかの人の動きや味付けの仕方などを見て学習しているわけである。

先日テレビで、成功した料理人の方が、そうした下積みの状態から帝国ホテルの村上信夫料理長(当時)にいきなり抜擢されたエピソードを話されていた。しっかり技を盗む訓練をしていることを見てもらっていた、ということだろう。ただボーッとしていると、いざ、「きみ、スイスの日本大使館に行って、料理長をやりなさい」といきなり仕事を言われても、対応できない。だから、必ず先輩たちのやり方を見て覚えている人間に頼むようにする。

仕事のポイントをメモさせる

入社試験などでどのようなことをやるべきか、と私が考えているかというと、入社したい人たちを五〇人ぐらい、社内(工場でもいい。どこでも)に半日ぐらい「放流」する。そこで仕事のポイントとなっていることを、きちんと箇条書きにして構造化し、グループ分けして紙に書いて提出してもらう。そうすると、だいたいの能力がわかる。

そこでメモにできていない人は、その場にいたけれども見えていないということだ。その人は、そのプロの人たちがやっている動きを真似ることはできない。真似をすることは一見、無意識の行動のようだけれども、実はポイントを認識（意識化）して文字にすることができて、初めて定着する。

先生が一対一でしっかり横に付いて教えてくれる、そういう親切な状況なら、まだいい。だが、ふつうの状況というのは、仕事は見て勝手に覚えろということなのである。ていねいに教えてもらわないと動けないという人を雇う会社は、いまはもう少ない。

私が経営者であるならば、どう考えるか。教えてもできないというCグループは論外だ。教えれば何とかなるけれども、教えていないことに関しては動けないというのはBグループ。残るAグループは、教えなくてもベテランの動きを見て学び、ポイントをきちんとメモして、次のときには自分ができるようになっている人間。そのような人に正社員になってもらいたいと思う。

段取り力や真似る力は、仕事をする上で最重要の力だ。こうした力をチェックするために、具体的に重要なポイントをメモさせた紙を出させると、はっきりとした力量の差が生まれる。私はそれを授業でよくやるが、現場に行かずにビデオを見せるやり方でもかまわない。

たとえば、テレビ番組でよくやっている職人さんの仕事ぶりをビデオで二〇分見せたとする。何も言わないで見せ、終わったあとに「それでは」と紙を配って、「では、いまの仕事の重要なポイントをすべて抜き出してください」と言う。段取りを説明できるかどうかをチェックする。

料理でもそのやり方が使える。「三分クッキング」のような映像を題材にする。ビデオを流し、小学生たちに見せる。そのとき、料理の段取りをちゃんと抜き書きにして記憶し、ほかの人に言えるようにさせる。そうすると五個か六個しか書けない子と三〇個ぐらい書く子に分かれる。

漏れなく三〇個ぐらいバッと書いて、しかも記憶してしゃべることができるならば、仕事をする構えができているといえる。

どんな仕事の場合でも、上達の原理は似ている。上手な人のやっていることを見て、その重要なポイントを自分のものにできれば、たいていの仕事はやれる。だから真似るということは、高度な認識力（意識的な、この技を盗むのだという強い意欲）によって支えられているもので、何となくというようなものではないのだ。

とくにデフォルメすることもある。比重を変えるということだ。たとえば、似顔絵というのは特徴を拡大して見せる。特徴の中の重要な部分を大きくして見せる。仕事の段取りとか重要な部分を書くにあたっても、ただだらだらと書くのではなくて、これだけは絶対に外せないというところを拡大して太い字とか赤文字で書ける、そういう人のほうを私なら採用したくなる。

そのように強弱をつけて、ものごとを見抜くことができる力、ものごとに優先順位をつけることのできる力、これが上達の基本になる。

「天才」は上達の達人

イチローが二〇〇四年のシーズンに二六二安打打ったあとの本(『夢をつかむイチロー二六二のメッセージ』ぴあ)の中に「ぼくは天才ではありません」という発言がある。「なぜかというと、ぼくは自分のヒットの理由を全部説明できるからです」と言っている。ヒットの理由を説明できる、と同時に凡打の理由も説明できる。何がどうだから、こうなった。それを全部説明できるというのは、素晴らしい認識力だ。

無意識で何事かをなしとげてしまう人ほどすごいと私たちは思うけれど、そうではなくてすべてを認識できているクリアな頭脳、それこそが本当の「天才」の条件(天才と呼ばれるのにふさわしい人間の条件)なのだ、ということを暗に言っているのだと思う。

実際に天才と呼ばれる人間を、よく調べてみたところ、通常では考えられないレベルまで意識を働かせている。意識で追求できるところはすべて意識的に行って、最後に無意識が炸裂するようなところまではっきりと追い込む。だから、自分には何かよくわからないが、神が乗り移ってやってしまった、というようなことは実は少ないのである。

プロは、そういう朦朧《もうろう》とした意識で仕事はしていない。それが、天才といわれている人の実像だ。そうすると天才といわれている人も、卓越した行為が最初からできたわけではない。いわば上達の達人ということになる。

だから、私たちがもって生まれた才能が多いか少ないかをいう前に、上達力を身につけることができているのか、と問うことが必要なのである。それがあるかないかのほうが、むしろ決定的なことだと思う。

教育というのは、まずその根源を摑んでそれを伝える。何かを通して(何を通してでもいい)それを伝える。料理が好きであれば、料理の上達を通して生徒が、たとえその生徒が料理人にならなかったとしても、どんなことに向かっても自分を高めていく一定の道筋をつけることができるとするならば、その先生は料理を通して教育をしているということになる。

段取り力というもの

段取り力というのは、その上達のポイントに深く関わることだが、実際の仕事をしていく上において、もっとも重要なものだ。けれども、小学校、中学校、高校と過ごしてきた時代に、この段取り力を評価されたことのある人は、少ないのではないだろうか。

生徒会の活動とかキャンプは、運営するのが大変だ。そういうときには段取り力が必要とされる。あるいは部活で部長になって、練習メニューや合宿をどうするか、考えなければいけないというときに、その段取りを考える。だが、それはどこか裏方的な仕事であって、別に大学受験などで求められる能力ではない。

しかし、仕事ということになると、むしろそれが主なのだ。段取りが八割、という感じである。彫刻家の佐藤忠良《ちゅうりょう》さんは、「段取り半分」と指導している。彫刻というのは芸術だが、その芸術を生み出す仕事の大事な部分は段取りなのだという。

これまで「段取りがいい、悪い」ということは一般的に言われてきたけれども、あえてそれを「段取り力」と私は呼んでみたのである。

段取り力の重要性からすると、段取りをきちんとメモして、それを記憶して、そのとおりに再生して言えるというところまでは誰にもできていいはずだ。個々の分野の才能には関わりなく、段取り力はついていい。

算数・数学は、段取り力という観点から見ても、非常に価値のあるものだ。算数という科目は、きわめて頻繁に段取り力を要求される。たとえば、$3(x-3)=$　という式があったときに、3のあとに括弧があれば、それは×が省略されていることなのだ。そして、それを崩すときには一個一個に3をかけなければいけないのだとか、そのときにまた、$3\times x$と書かないで、$3x$と書く($x3$とは書かない)のだとか、いろいろなルール、段取りがある。

段取り力の大切さは証明問題でも明らかだ。証明問題の場合は「何を証明しろ」ということは指示されている。それが料理で言うと料理の完成形である。証明には仮定があり、これが料理で言うと素材だろう。それを適切なプロセスで料理して、おいしい最終的な料理ができる、作品ができるというわけだ。

素材と作品、仮定と結論をつないでいくのが段取りなのである。その段取りを仮定のほうから攻めていくやり方もあるし、逆にできあがった作品(証明すべき事柄、最終的なヴィジョン)から逆算して、これがこうであるためには、少なくともこうでなければいけないと、逆側から穴を掘っていって、最後は山の両側から攻めていった手が結び合わされたときに「ああ、これでわかった」、証明できた、となる。

証明が可能であることへの確信の下に一行目を書きはじめる。確信もないのになんとなく一行目、二行目を書いていく人には、作る料理のイメージができていないのに野菜を切り始める人と同様、未来はない、と言えようか。それは段取りの意識がないということになる。スタートとゴールを結ぶ道筋をしっかり意識化するのが段取りということなのである。

全体が見えているということ

段取りは、パソコンなどに付いてくるわかりにくいマニュアルとは、少し違う。優先順位をつけて必要な手順を説明できるのが段取り力だ。いろいろ細かいことはあるだろうけれども、この骨組みだけは外さないでくれというのが、段取りのいちばん重要なところである。

ある絵を描くとしよう。きっちり仕上げることは必要だけれども、段取りのいちばん重要な点は、ラフの段階にともかく到達することだ。

あとは細かい作業をやるだけという安心感をもって仕事をすると、ストレスがとても少ない。先が見えていることがストレスを減らすのだ。いったいこの先どうなるかわからないという不安感が、いちばん人を消耗させる。

先行きが不透明である不安からくるエネルギーの消耗を抑えるということは、上達の重要なコツだ。勉強が嫌いになる理由の一つは、これから新しい単元に入ったときにいったいどうなるかわからないからなのだ。たとえば、自分が中学校に入って英語ができないかもしれないという不安が、彼らをむしばんでしまう。x^2とか$\sqrt{}$（ルート）やモルが出てきて、「うわあ、もう駄目だ」と思ってしまう。そのことによって精神が疲労していく。そして、できないと思ったら、どんどん難しく思えてくる。

だから、「自分はできないんじゃないか」という不安感を減らしてあげるのが、何といっても教育する人にとっていちばん大事なことなのである。

「大丈夫。私は全部わかっているから、安心して付いてきていいよ」「すべてわかっているから、きみたちには何にも不安はないんだよ。ぼくが言っていることを一から踏んでいけば、必ずここまで到達できるから」と言ってくれる先生は安心感を与えてくれる。その先生が単に言っているだけではなくて、それまでの卒業生の多くをそのようにしているとしよう。そうであれば、生徒たちは態度が変わる。「ああ、この人に付いていけば、必ず甲子園に行けるんだ」とか、「この人に付いていけばＴＯＥＩＣで何点以上とれるんだ」となる。「八割以上の人がとれているんだよ」というふうに言われたりすると、説得力がある。先生の「私は全体が見えている。上達の段取りも組んである」というメッセージ自体が重要なのである。

「自分は今何のためにこれをやっているのかわからない」という迷子状態に陥らないようにするのが、先生の役割だ。そういう意味では全体の構図を捉える力に優れている、すなわち段取りというものが全体のなかで常に見えている人間、そういう人間が指導を行い、段取りの見抜き方、吸収の仕方、あるいは自分で段取りを立てていくやり方自体を教えていく、ということが大切なのだ。

科学的な精神

課題に向かう段取りがしっかり組まれていない場合、いくら失敗しても、それが成功につながらない。エジソンは電球のフィラメントを開発するときに、何千種類という物質を試した。

日本の京都の竹でやったときにかなり長く電球がついたのだけれども、「京都産の竹がいい」というところにたどり着くまでにどれほどの失敗があったか。

だが、エジソンはそれらを単に失敗とは見ない。要するに、それが駄目だということがわかった、という意味で成功であると考えるわけだ。そうなるとエラーという意味が変わってくる。しっかりとした認識の下に段取りを組んで、これを試してみる、この条件を一定させて試してみるとする。変化させた条件が一種類であれば、それが事の成否を握ることになる。

ところが、条件を三つ四つ、一度に変えたとしよう。素材も変えるし、やり方も変えてみる。一度にいろいろ変えてみようとすると、失敗しても成功しても、何が悪かったのか、何が良かったのかわからない。

変えるものを一つにして実験の条件を安定させて、一個ずつ試していく。そうしたときには失敗が失敗ではなく、証明になっていく。これは理科の実験の基本である。科学的な精神というのは、条件を限定する能力である。条件を安定させて、何がいいのか何が駄目なのか、何が原因なのかを追いつめていく。

最後にコーナーに追い込んで、ネズミを捕ってしまうみたいなものだ。あっちこっちを掘り返してみたけれども、結局何だかうまくいかなかったというモグラたたきは科学的なやり方ではない。この科学的な精神というものも、理科の実験を通して教えなくてはいけないことなのだ。

科学的にものごとを考えるということは、実験が成功する、しないにかかわらず、「何をやろうとして、そのためにどの条件を安定させて、実験の段取りを組んでいるのか。なぜこれをやらなければいけないのか」という説明ができることだ。

文系に進む人にとって、理科の実験がいちばん生きるのは、結局何のためにこれをやっているのか、これがわかるとこれになる、もしこれが駄目だとしたら、ここの条件を変えればいい、という段取りの組み方を身をもって学んだことなのである。実験の持つ本質的な意味は、簡単に言うと、条件を制限する段取りの組み方ということになる。

たぶんこれは料理でも同じだろう。まずい料理の理由はいろいろあるに違いない。あまりいろいろありすぎて、直しようがないとする。その場合、「まず、ここところは言うとおりにしてごらん。その上で、塩加減だけはおまえに任せるよ」と言って、それでまずかったら、それはおまえの塩加減が悪いんだということになる。それと同じことだ。まずこういう進歩のある科学的、合理的なものの考え方というものを、学ばせなければいけないのである。

3　研究者性、関係の力、テキストさがし

研究者的な態度

教育力の一つに、「研究が面白くて仕方がないと感じていること」を挙げたい。

教師の中には研究をしない人もいると思う。たとえば自分がある程度の知識を身につけていて、それを卸問屋《おろしどんや》のように年の若い未熟な人たちに「卸《おろ》して」いく。そうすると別に研究を深めなくても、教師は一応できるわけである。その教え方の効率が良ければ、それで問題がないともいえる。

ただし長い目で見たときには、その教師自身が研究者でもあるという一面を持っているほうが、いい教師になるという実例を私は見てきている。

教師というのは自分を殺して生徒を育てることに徹する切ない仕事だと決めつけてしまうと、その教師はある意味で頭打ちになってしまう。

いま中学、高校ではとくに、大学院まで行った人を教員として採用する傾向が強くなっている。修士課程を出たことを条件にする学校が増えているのだ。大学院で学んだ人の良さをあげ

るとすれば、それは研究ということが多少とも身についていることだろう。学部で卒論を書くということでも勉強にはなるが、まだ「レポート」の延長線上にあるものだと思う。

しかし修士論文ともなると、いわば普通の就職を断念して、二年間すべてそれに賭けた成果ということになるので、かなりしっかりした論文を要求される。修士論文を書くうちに、研究者的なアイデンティティを持つことができるようになる。研究者としての生活を送ってみるというのは、長く教師をやっていく上では大きな知識の源になる。単に、そのときに得た知識が活用できるというだけではなく、常に自分がいま教えようとしている知識のもっと奥、もっと裏、大本を調べようとする態度が身につくということである。

あることが教科書に書いてあったとする。それが間違いではないにせよ、本当にそれだけなのか、学説はいまどうなっているのか、というところまで調べたりするかどうか。

現在の学術研究の動向には非常に激しいものがあって、かつて本当だと思われていたことが、いまは違うということがよくある。教科書は当然、若干遅れるわけだ。教科書はできるだけ間違いの少ないところで、穏やかに書こうとするので、どうしてもつまらなくなる嫌いもある。独自性の強い学説は、取り上げられにくい。

その中で非常によく研究している教師がいると、たとえば「一般的な通説はこうである。しかしこういう角度の説もあって、なかなか面白い。まだ一般性を得るには至っていないが……」といった説明をする。すると、子どもも多角的なものの見方ができるようになる。単に唯々諾々と聞く姿勢ではなくて、一つのことをいろいろな面から見ることができる力、この視点移動力を子どもたちに身につけさせたい。そのためには教師自身に、そのように問題を掘り返して、新たな角度から見る習慣がほしい。それが研究者的な態度ということになる。

たとえば、言われたことを覚えて再生してみせるのが大学入試程度のレベルだろう。しかし大学院を修了するときの論文というものは、そういうものではない。第一次資料に戻って調べるという態度も、また研究者的である。教科書に書かれている文章の前に論文、さらにその前に原資料があるのだ。

論文というのは、ふつう大本の資料にさかのぼって、たとえば古文書が読め、『源氏物語』でも元の文章からしっかり自分なりに全部読んで判断し、独自の視点から分析することによって、まとめられる。論文へのプロセスが研究である。

そのようなレベルにまで大学四年間で達するのは、なかなか難しい。だから、プラスアルファの学力をつけた人を教師として求める傾向が強まっているのだ。ただ、大学院に行く傾向の人がコミュニケーションが得意かというと、これは別問題だ。一般の社会人として通用しにくいタイプの人もいる。その意味では、大学院出が必ずしも、先生に向いている人間かということについて、私は疑問を持っている。

けれども、もし人間性が豊かでコミュニケーション能力もある人が大学院へ行って、二年ぐらい過ごした場合は、たいへん有効なのだ。

研究とはどういうものか。まず自分自身でテーマを見つけて、論文を書き上げなければ研究とはいえない。ただ単に調べるだけでは不十分だ。四六時中それについて考え、あるいは調べることに習熟することによって、次になにを調べればいいのかわかってくるのだ。

だから、たとえばGoogleで調べて情報を得て、それをぱっと右から左へというのでは、研究とは言えない。情報を自分なりの角度で再編成して、自分の概念を提示し、同時に資料の発掘を行う。いままで研究対象になったことがないようなものが対象になれば、それは優れた研究となる。

もう一つの基本的な要件は、先行研究をきちんと踏まえるということだ。いままでの研究成果をチェックして、どういうふうにその問題が語られ分析されてきたのか、ということを押さえ、そのうえに立って新たな、もう一段上の論を展開する。勉強ができる能力とともに、自分で新たな視点を提示できるオリジナリティもまた要求されるのが、研究者的な態度というものである。

研究授業の場で

教師として教壇に立った場合にも、研究者というアイデンティティを持っている人の話し口調は少しばかり違う。私が教わった先生の中にはそういう先生も多くいて、いま自分はこれにチャレンジしているということをよく語った。たとえば、初めて関係代名詞を習う中学生にそれをどううまく理解させるかという方法についても、やはり研究というものがありうる。

教師の研究者的視点が生きている授業では、生徒たちはいま、この先生が工夫して、新しい解釈で臨もうとしていることがわかる。そういう試みは研究授業で発表されることが多い。その場合、ほかの学校の先生も大勢見に来るから、先生自身も緊張している。学会の発表のようなものだ。

そうなると生徒のほうも「ああ、この先生はぎりぎりのところでやっているな」と思うものだから、一所懸命に協力しようとする。すると協力しようとしているうちに、理解が深まる。

研究授業の場で多くの人を前に、新しい教え方や新しい解釈を思い切って提示して、自分をほかの人の眼にさらしてみる(他人の評価を待つ)という、教師の積極的な姿勢が生徒たちを刺激する。

新たな学説を常に調べていて、それを紹介するというアクティブな態度は、生徒にどんどん伝わっていく。大事なことは、教師自身が知識に対して常に新しく踏みこんでいく意欲を持っていることであり、そういう気持ち自体が子どもたちに伝わるということだ。そうした知的探求の構えを伝えることが教育の目的でもある、というところがポイントだ。

だから教えるのが好きというのももちろん大事なことだが、自分の中に研究者としての意欲を同時に持っていることが、教師として大切な資質である。

聞いてくれる人のいる幸せ

研究者の道ではないが、作家志望の人が作家では食べていけないので、国語の先生になるというケースもある。俵万智さんなどは高校の先生をやっていて、『サラダ記念日』(河出書房新社、一九八七年)で世に出て、教師はお辞めになった。ああいう形で自分が世に出るまで教師というものを職業とすることによって生活を安定させ、またやる気も持続させていくというやり方も、人生の選択としてある。

そのときに「もっと作家の活動に時間を使いたい」、また人によっては「研究者としての時間を使いたい」というせめぎ合いが起きてしまう。「部活の指導などしている場合ではない」とか「遠足に付いていっている場合ではない」などと、いろいろ思うものだ。先生というのは、とても忙しいものだから。だが、そのなかで自分の研究者的な態度というものを失わない人は、五〇歳、六〇歳になっても生徒から慕われるにちがいない。

また、いまは教師の立場から情報を発信するやり方がいろいろある。たとえば、小学校の

「百ます計算」の実践で有名になった陰山英男先生のようなケースがある。子どもたちに実際に教えてみて、その感触を確かめつつ新たに工夫しながら進めていくそのプロセスも含めて、自分なりのサブテキストを編んでみる。一〇年ないしそれ以上勤めて教えるからには、自分の教材は自分で作ってしまうぐらいの気持ちで教える。そうすると研究者的な態度と教える教師としての立場が矛盾しないで進行できるのではないか。

たとえば生徒に毎週自分のエッセイを配る、といったやり方もある。私も大学の授業で盛んに配っていたときがある。今のように本をたくさん出す前は、自分が書いたエッセイを授業で配っていたが、そこに自分の教師としてのメッセージを込めた。それを書くときは、単に教えるためにというだけではなく、自分の中で気になっている事柄について思い切り書いてみる。そういうメッセージを送る相手がいるというのは幸せなことなのだ。

逆に、研究をいくらしても読んでくれる人がいないというのは、さびしいものだ。私自身、論文を書いても何の反応もない時代が五年、一〇年と続き世をはかなんでいた頃、大学生という聞いてくれる人を得たときに急に生き生きと若返った。

聞いてくれる人がいるという教師のポジションは、研究者としてやっていく上でも決してマイナスではないと私は思う。

個人の才能よりも関係の力を

個人の才能よりも関係の力を信じる、ということを次に挙げてみたい。

「才能」という言葉は人を引きつけるらしい。たとえば「天才」という言葉に人は非常に惹《ひ》かれる。生まれもった才能がある人がいると、あこがれてしまう。そういうヒーロー像というものは、あこがれの気持ちを喚起するという点では意味があるが、現実の子どもや生徒を見たときには、個人の才能を云々《うんぬん》しても仕方がないと思うときのほうが多い。

教えていれば、この子は頭の回転がいいのか悪いのか程度のことは瞬間的に感じる。それは走らせてみて、生まれつき足が速いのか遅いのかがある程度見えるように、同じように感じはする。けれども、そのことにこだわっていても仕方がない。それぞれの子がどう伸びていくかにしか、教師は関心の持ちようがない。

個人の才能と、関係の中で生まれてくる力との二つに分けた場合、関係の中で生まれてくる力を一般の人よりはずっと信じているのが、教師としての条件だと思う。

たとえば、二人一組になってずっと話していたり、ディスカッションしたり、お互いにチェックし合ったりしている中で伸びていく力がある。これで両方が伸びていく場合は、その二人にそれぞれ個別に才能があったという言い方もできるけれども、そういう関係性がクリエイティブであったと言ったほうが当たっているだろう。

関係をクリエイティブにできるかどうか、というところに教師の力量が問われるのである。才能のある個人は伸びていく、才能のない人は伸びない――これだと教師の力量はそれほど大きな意味をもたない。才能のある人というのは、教えられなくても伸びていく人だ。簡単に言うと、うまい人のやっていることを見て、それで盗めてしまうわけだから、とりたてて、教えてもらわなくても上に行くのである。

あるいは、最初から学ぶ意欲の高い人はいる。勉強がしたくてたまらないとか、勉強していい仕事をしたいという、子どものころからモチベーションが高い人だ。天才といわれる人たちの共通点は、人から言われなくても自発的に勉強し練習し続けるということだ。しかも、その量と質が充実していて飽きることがない。自分で学習法を工夫できる。だが、こうした才能のある人たちにとってさえ、出会いや環境の力は大きなものだ。

一般の人は、これほど学ぶ意欲がはじめから高いわけではない。相互に高め合う空気が「追い風」としてほしい。

モチベーションが低い、なぜかやる気がない、「とにかく世の中、何もおもしろくないよ」とか「授業全部、つまらないし」と言っている、よどんだ雰囲気の集団を変えていくことができれば、その人は教師として教育力があるということになるだろう。

クリエイティブな関係のために

教師と生徒の間に一対一のクリエイティブな関係を結ぶということはもちろんあるが、多くの場合、教育というのは一対多で行われる。そうしたときに友達同士の関係をクリエイティブにするように環境設定をするのが、教師としてはより重要になる。

たとえば私は教室の座席の配置にこだわるのだが、大学でも椅子ががっちり二人一組になっていて、四人一組が絶対にできない教室がある。しかし、教育方法として私は四人一組のディスカッションを中心にする。そういう私にとっては、そこでは教育ができないことになるのだ。そうした教室は生徒同士、学生同士の間のディスカッションを学びの基本形態として捉えていない、ということだ。私は専門が教育方法だから、空間の配置がもたらす、関係のあり方への影響が気になる。大学がこれから伸びていくためには、個としての発言力、表現力が重要だ。その個の表現力を磨くためには、切磋琢磨で三つか四つの石をこすり合わせるのがいちばん早い。

教師が授業中に個々の学生と対話するのは現実的に難しいから、ある課題を与えたときに生徒同士がディスカッションをする中から、結果を出していくというやり方をとる。

これは最近、大学以外の学校でも重視されていることだ。たとえば学習指導案というものがあり、教育実習や研究授業のときなどに書く。そこには生徒の活動や作業を記録する欄がとても多い。

昔は、「先生が教える内容」プラス「指導上の留意点」が中心だったが、最近は生徒がその時間に何をしているのか、ノートをとっているのか、あるいは考えているのか、発言しているのか、というのを書く欄が大きくなってきている。先生がただ単に言いっぱなしの授業というものは、評価されなくなってきているのである。

これは生徒の側からいえば、聞きっぱなしだと、表現力、あるいは積極的な知識が身につかないということだ。知識にも消極的な知識と積極的な知識がある。聞いてはいても、自分で使いこなすことができないのは消極的な知識だとすると、自分で自在に使いこなせ、表現できるのが積極的な知識だ。

人に話すことで消極的知識を積極的知識に変える。そういうことを可能にする空間の配置、あるいは時間の区切り方といったものがあるのだが、ディスカッションを活性化させるのも、技術的には意外に難しいことなのである。大学の授業でさえ工夫なくディスカッションをやらせると、意外によどんだディスカッションが多くなってしまう。

それはなぜかというと、どうしても友達同士で組んで空気がゆるんでしまうからである。だから、私の授業では、荷物をまとめて立って移動してもらい、グループをつくらせている。その程度のちょっとした工夫によっても、ずいぶん緊張感が生まれてくる。適度な緊張感というものはクリエイティブな関係には必要なのだ。けれども、他方で相互の信頼感も必要。そのバランスを教師は整えなければならないのである。

クリエイティブとはどういう意味かというと、お互いの間で、初めて新しい意味が生まれるということだ。なにか思ってもみなかったようなことを思いつく、インスパイアされてインスピレーションが生まれ出る、といった感じだろうか。そうなると、どちらの才能がよかったと考えるよりも、「ああ、この関係だから出たのだな」という具合になる。知識の生まれ方としては、それがいちばん幸せな形なのである。

もちろん、そこで出てきたアイデアとか知識、知恵といったものも、人類の歴史から見れば、すでにあるものかもしれない。でも、自分たちがいま、ここで生み出したとか発見したという、その実感は大切なものなのだ。そういうワクワク感を生み出せるように、うまくディスカッションの場を設定すること、そしてもっと大事なことは、問いをうまく設定することなのである。

問いで構造を深める

クリエイティブな場を現出させるためにいちばん重要なものは、いい問いを発するということだ。先述したように発問力は、教師にとってたいへん重要な専門的な力量である。「発問」というのは「質問」と似ている。だが、やはり少し違う。発問力とは、知っているかどうかを聞くことではない。ある事について、「みんな、これ知ってる?」と聞くのは質問だ。それに対し、ある事についていろいろな形で考えて迫っていこうというのが、発問なのである。だから授業の骨格をなすものと考えなければならない。

まず興味・関心を引く発問をして考えを煮詰める、あるいは調べてもらう。次に、もう一段階ステップアップした発問を投げかける。問いかけによって授業を構成していくと考えると、まさに発問こそが授業の背骨ということになる。問いのないような授業というのは、基本的には生徒を活性化しにくいとされている。考えることを推進させる原動力が発問なのである。

そう考えると、どんな問いを発すれば、このあと一〇分なり二〇分、盛り上がるのか、生徒の頭が活性化するのか、あるいは何か調べようという必然性が生まれるのか——そういったことを総合的に考えながら、発問を決めていく必要があるのだ。授業を進める上で良くないのは、その場の流れで適当なことを聞いてしまうことだろう。そうすると授業全体が流れていってしまう。構造的に深められた授業というのは、しっかりした発問が少なくとも二つ三つあらかじめ、しっかり組まれていて、生徒たちが資料を調べたり、いろいろ読み込んで答えを出す。そして生徒がすぐに発見しそうな答えのもっと奥にある考えを先生のほうが、あらかじめ用意してあるものなのだ。

生徒と先生というのは、一緒に考えるというのが基本的なスタンスだ。けれども、ほんとうに一緒に考えているだけだったら、先生としてちょっと頼りなさ過ぎる。そうではなくて、生徒たちががんばって、がんばって行き着いたとする。数学の解き方でも、すごくいい方法が見つかった――そういうときに、先生は生徒たちがすごくがんばった果てのもっと果てに素晴らしい解法を示してみせるということで、生徒たちが先生のありがたみを感じる、といったことが目指されるべきだと私は思う。

生徒が先生にすごみを感じないようでは、教師としてはやっていけないものだ。同列だと思った時点で、子どもは言うことを聞かなくなる。

もちろん、高圧的に「おまえらにはわからないだろう。わかんないはずだよ」といった感じで言われると、生徒が突き放されたような気になって、やる気を失いかねない。だから「これについて一緒に考えてみよう」と、心情的には共感的な立場で向かうべきなのだが、用意はしっかりある、というのが望ましい。

最終的には「ほう」と言わせるだけのものをもって臨む、というのが授業の王道だと思う。その際、やはり問いに深みがないと、授業が盛り上がらない。

考えるための道具だてを

「その時歴史が動いた」というテレビ番組（NHK総合）があるが、あれなどは、「なぜどうしたのか、こうしたのか」「それがどういう根拠で言えるのか」という問いを、煮詰めて煮詰めていくスタイルをとっている。発問力で番組に推進力を与えている。知識の有無を問うだけのクイズと発問は違う。思考・論理を深める力を持つ問いかけが発問だ。

そうした発問を軸とした展開はエンターテインメントとして重要というだけではなくて、授業にも必要なのである。生徒が考えてなんとかなる問題と、考えても仕方がない問題を区別するということが大事なのだ。何も考える道具がないのに、「ルネッサンスとは何か」と、中一の子どもに問いを出して、「よく考えてみろ」と追い込んだところで、何も出てきはしない。

そうした問いは発問としてなっていないのだ。考えるための道具だてを、どれだけ用意できているかが発問の成否を決める。たとえば、ルネッサンスというものの意味を解読するための手がかり、ボッティチェリやミケランジェロの美術作品と、中世の絵画作品のプリントをカラーコピーで作ったとしよう。それは一つの資料だ。それを比較してみると、ルネッサンスになると絵画はこうなったということが見る人にはわかる。そういうものはテキストと呼ぶことができる。

その上で「ルネッサンスというのは前の時代(たとえば中世)と違って、どのようなことが行われた時代だったのか、その理念は何であったのか」という質問をするのならば意味をなす。いくら考えても仕方がないことを聞いても、意味はない。知っているか知らないかに過ぎない問題では、限界がある。それは発問とは言わない。そういうのは一問一答式トレーニングで十分だ。

一問一答式のプリントを作るというのは、これはこれで大事だ。たとえば炭素と酸素が化合して、CO_2ができるという化学反応式があったとする。化学反応式に関しては考える余地がない。そうなるしかないという式だろう。

この種のものは反復トレーニングが有効だ。毎回小テストのように、一〇〇問、化学反応式を完成させるプリントをやらせ、答え合わせをさせる。それを三回、四回とやる中で化学反応の原則を身につけさせる学習法は合理的だと思う。それは習熟ということである。

そのような習熟させる時間を授業でとることも大事なことである。しかし、いま言っている発問というのはそういうものではなくて、あるテキストなり資料なりをよく見抜く中で、あるいは話し合いをする中で、新たに考えが進むような、そういう問いのことである。

「これはテキストにならないか」

思考を促す奥深い問いを発するには、先生の側に相当な準備が必要である。太宰治の『走れメロス』は現在中学二年の教材だが、ストーリーは単純だ。しかし、太宰の日本語力のすごさを彼らに実感させるには工夫が必要である。太宰治の日本語力の秘密にうまく踏みこめるかどうかは、先生の調べ方次第だ。どういうところがうまいのか、ということさえ、なかなか子どもにはわからない。うますぎてわからない。そういうことがある。

ミケランジェロの彫刻、「ピエタ」とか「ダヴィデ」像を小学生に見せたとしても、うまいとは感じても驚きまでは感じないのが普通だろう。あれは彫刻家が見たときに、いちばん驚くのだ。「これはありえない」「なぜ？　こんなことは絶対にできない」と思うわけである。すごさがわかるためにも、力が求められるのだ。

本物の持つすごさをわからせること自体が、教師として必要になってくる。そこに問いかけの意味がある。たとえば、「こういう言い方に対して、こういうほかの言い方もできる」と先生が出してみて、「どちらのほうがよいのか」と問う。あるいは「表現をこのようにすることによる効果は何か」とか、「太宰治における文体の特徴は何か」とか、ほかの作家との比較とか、いろいろな問いがありえる。

たとえば川端康成に関しては、英語の訳とくらべてみると違いがよくわかる。英訳されたものでもストーリーは追えるが、私たちが日本語で感じとっている微妙なニュアンスが落ちていってしまう。村上春樹の小説は英訳しても、比較的その精度が落ちない。それはもともとが翻訳文体だということもあり、クリアに事柄を伝えようという文章が多いので、翻訳に向いているという面がある。

一方、川端康成の場合は、ストーリーの骨格よりは、一つひとつの語の持つ微妙なニュアンスを積み重ねていく。それで、全体の雰囲気として一つの世界をなしているというものだから、ストーリーだけとってみても、文学としての価値はわからない。

このように、文学というものの種類にもいろいろなものがある、ということを英訳を通して考えることができる。そのような考える切り口を先生がどれだけ生徒に出せるか、ということなのである。そこには「ひきだし」が必要だろう。だから常に先生が勉強していて、新しいテキストをどうやって提示しようかと考える必要があり、テキスト探しの力が先生の能力としては非常に重要になる。

街を歩いているときでもテレビを見ているときでも、始終、「これはテキストにならないだろうか」と探すわけだ。「これはうちの学級の子どもたちにとって、いいテキストになるのではないか」と思って、新聞を切り抜いておいたり、あるいはある番組をビデオにとってみたり、そういう努力をずっとしている先生たちもいる。

そういう中で実際に使えるものは、わずか一〇分の一かもしれないけれども、先生が自ら持ってきたものというのは、子どもに非常に感銘を与える。

私が中一のときの理科の山田先生は、全国のシダ植物を集めていた。シダに興味を持っている人間はあまりいないと思う。シダ植物というのは、人間が発生する以前、太古の地球からの、植物の原初的な形をとどめているらしい。あの海藻みたいなやつだ。

世界に一万種あるらしくて、その先生は日本中で採集してくる。休みごとに行っては採集してきて、「これが北海道のどこどこのシダなんだ」と楽しそうに見せてくれるわけだ。私たちは中学一年のときに毎時間それを見せられたおかげで、シダというものがあたかもこの世界の中心であるかのような感覚を植えつけられた。人間中心主義的な史観を脱する上で大変良い授業であったと思う。人間成立以前にこのようなものが地球上にはあって、それがずっと長く続いて地球という生命圏、大きな生命の集まりの中で重要な役割を果たしてきた、ということを教えられた。シダに情熱を傾けている人がいることを知り、学ぶことが身についた生活スタイルが印象に残った。「学び続ける人生は楽しい」というメッセージを発するのが教育者の使命なのだ。

仮説・実験・検証

実験するのが好きで好きで仕方がない人もいる。いま、米村でんじろうさんなどの理科の実験がテレビ番組で受けているけれども、実験は近代科学の基本だ。

その実験精神は錬金術として大変はやった。錬金術というのは、金でないものから金をつくるという作業だ。結局、人類はそれに失敗するけれども、そのことによってやがて近代の化学が発達する。何と何を合わせるとどうなるか、爆発などをくり返しながら、発見していく。

実験に夢中になっている人を見ると、「ちょっとあこがれてしまう」という人が生徒の中に出てくる。いろいろな教科を学ぶわけだから、全員が実験に夢中になるとは限らない。しかし、たとえば、そのなかの何割かの人間が実験に心ひかれて理科系を選ぶことになったならば、その教科の意味はある。その道に進まないまでも「実験は何のために必要なのか」がわかる。そこにも意味があるわけだ。

ふだん行動するときに仮説を立てて実験、すなわち行動してみて検証するというプロセスを意識化して実践しているという人は上達していく。

仮説・実験・検証というプロセスは、人類が編み出してきた科学的態度なのである。こういう科学的な態度を知らずして、人類は、ずいぶんの時間を過ごしてきた。だが、コメを食べることにしても、いまの稲の形になるまでには実験と検証を重ねている。そういう思考形態を理科の実験室に閉じこめないで、もっと広く使ってみようということなのである。

セブン&アイ・ホールディングス会長の鈴木敏文さんと対談をした際に、鈴木さんは「ビジネスはやっぱり、仮説・実験・検証に尽きる」とおっしゃっていた。

彼はセブン‐イレブンの成功によって、日本の生活文化を大きく変えた人だ。コンビニというものを日本に定着させたわけだから、非常に大きな仕事だった。その仕事の中で、仮説を立てて検証するということをくり返して、こまめにやり続ける。

たとえば店舗の中での品揃えの仕方とか、置き方。仕入れの仕方とか、あるいはおでんの味が落ちないようにする方法。トップがやるだけでなく、社員が「これをやってみたら、どうだろう」と発案した場合、「失敗したらやめればいい」、成功したら「もっとよくするためには」という形で発展させる。

失敗したら、「どれがいけなかったのだろう」と原因を見極めていく態度を全員が持つことによって、店全体が少しずつ、ほかの店よりもグレードアップしていく。ほかのコンビニと差が付いていく。おでんは大変だったらしい。なぜ、あんなにおでんにこだわったのかと不思議なほどに苦労されたらしい。店全体がおでんのにおいに包まれすぎてしまうし、コンビニにおでんがなくても、別に誰も批判しないと思う。だが、鈴木さんはおでんにこだわりを持った。やはりそれは日本らしさというものが凝縮されているということがあろう。おでんは、アメリカにはありえないのだ。

コンビニでおでんを売るために仮説・検証ということがくり返されてきた。このように、理科で典型的に学習される事柄が、文系の人——というか、理科を直接職業にしない人——にも力になる、ということを私は言いたいのである。

シンプルなもの・美しいもの・真理

先日、数学者の藤原正彦さんとお話ししたところ、数学には美的感性が必要だという話になった。「美しいと感ずる心があることによって、数学が日本では非常に発達した。それは俳句をつくる心と同じなのだ。だから日本で、文学と数学が世界水準にあるが、それはともに美的感受性を重んじるこのお国柄のおかげである」というのが、藤原先生の主張である。

数学者のいうことだから、本当だと思う。数学ではシンプルなものが評価される。シンプルなものは美しい、ということだ。山にたとえると、その頂上にどうも花がある。それはわかっているけれども、とりに行くルートがわからない。ちょっと登ってみると、右か左かという分岐点が現れるらしい。そのとき、才能(センス)のある人は必ず、シンプルなほうをとるのだそうだ。こっちのほうが美しい、という基準でそれを選ぶそうだ。そして、またたく間に頂上に登っていってしまう。そんな人を見て、「ほんとうに悔しい思いをした」と藤原さんは言われる。

それを間違ってしまうと『八甲田山 死の彷徨』(藤原さんの父、新田次郎の有名な小説)のように、よくわからないところへ踏み迷ってしまうわけだ。藤原さんは「この世界というのは、シンプルなものは美しく、それがまた真理でもあるというのが、ほんとうに不思議だ」とおっしゃっていた。

幾何学というのは、そういう美しさを感じやすいものだ。補助線一本で世界が変わる。「ああ、まったく解けない」と思っていたものが、一本の線を引くだけでがらりと変わる。そこには感動がある。だから、補助線に感動したことがない人というのは、非常に不幸だ。それはおそらく教えた人の責任だろう。

「ああ、美しいなあ」という感動とともに学びが起こる、というのが理想なのだ。

数学者とか理科の実験をしている人、あるいはどんな領域でも研究をしている人は、「うそ！」というようなことをやっている。文学者にしても、「そこまでやるの」というようなことがある。

文学というものの魅力

三島由紀夫の場合、最期は割腹自殺してしまったが、ふつうに考えれば、何も腹を切って死ぬことはないだろう。彼は若いころにもうすでに、腹を切って美しく死ぬ主人公の小説を書いている。彼の中で戦後の日本は骨抜きにされたという思いがあって、本来の日本の強さ、美しさをみんなに取り戻してほしいという思いを、自ら小説を反復するようにして伝えようとしたわけだ。

要するに死に方自体が文学的というか、彼の美的な基準による美的な死なのだ。それについて私たちはなんとでも言える。「やっぱりそんなことはばかげている」「右翼的である」「腹切りは時代錯誤である」などと言えるけれども、彼が自らの人生をいわば作品化したことによって、私たちは、やはり一種の視点を与えられるわけだ。

三島由紀夫に対する好みとは別に『金閣寺』という小説は、ぜひ読んでほしい。私は、国語の「授業デザイン論」の中では必ず読んでもらっている。

小説というものの好き嫌いを別にして、レベルの高い文学を味わうことができるというのは大事なことだ。文学をこよなく愛する人と、全然どうとも思わない人が、日本には混在している。それは勝手なことのように見えるけれども、学校教育が文化遺産継承の場であるのであれば、みんな文学というものの良さぐらいはわかって、大人になってほしいと思う。

私の学んだ東大大学院教育学研究科でも、かなりの人が文学の意義を認めていなかった。「あんなものは、なくていい」と断言する者までいて、私はあきれ果ててしまった。なぜかというと、文学には人間性というものがもっともトータルに、しかも細部にわたって表現されているからである。

すぐれた文学には、人間というものはどれほどまでに奥深いものであるか、どうにもならないものであるか、素晴らしいものであるか、ということが克明に描かれている。虚構性を通してまさに真実が現れるということが、文学の面白さなのだ。

「そんなやつはおらんやろう」みたいな突っこみを入れたくなるような登場人物が多いが、それは人間の典型を描いているからだ。たとえば『金閣寺』の青年のように観念性の強い存在を見ると、それは多くの人間に少なからずあって、自分も例外でないことに気づく。

青年が女性に触れようとすると、美の極致である金閣がイリュージョンのように出てきて目の前の女に対する興味をなくさせる。そんな観念に侵された人間のある種の典型を読むことによって、世界の見え方が違ってくる。文学は人間学の基本テキストなのだ。

理解する態度

国語の授業で文学ばかり教えているがゆえに、論理的な日本語能力が育たない、と言う人が多くて困る。「論理性を養うには文学は害だ」といった幼稚なことを平気で国語の審議会で発言する人がいて、私は怒りとともに強く反論した。

どうしてかと言うと、文学は論理の下にある感情を理解する力を養うのに大切なものだからだ。ものごとを理解する力を身につけるということが、学校で学ぶことの中でいちばん重要なことだ。どんなものにせよ理解力を重んじることが大切だ。「三島由紀夫を愛するかどうかは勝手だよ。でも、理解はしなきゃいけない」と言いたいのだ。

何でもいい。進化論や遺伝子をたいへん不愉快なものであると思う方がいても、けっこうだ。

けれども、自然選択やDNAというものを理解しないのは、二一世紀の人間としてありえない態度だ。冷静に理解するという態度を養うのが、学校教育の大きな狙いだと思う。

国語においては、文章の奥に隠されている筆者の「何を伝えたいのか」という気持ち、情緒とか願い、あるいはその人の価値観、その人が敵対視していて倒したい相手は何か、その人が持っているコンプレックスとは何か、何に憤って、こんな文章を書いているのか、そういうことが手にとるようにわかるようになること、それが重要なのである。

人間理解力の向上という点から考えると、文学というのはテキストとして有効なものだ。文学を読んで解釈しているから非論理的になる、ということはあるはずもなく、実用的な文章だけを扱っていれば論理性がつく、といったことも甘い幻想なのだ。

すべての文章の後ろ側には、人の意図というものがある。その人がどうしようとしているのか、それを読みとることが大変重要である。そう考えると現代国語の問題というのは大変重要なものだといえる。

テキストを編集する力

「筆者の考えを、イロハニの中から選びなさい」という現代国語の問題を、ばかばかしいと思っている人も多いかと思う。けれども、ばかばかしいとすれば問題が悪いケースである。ちゃんとした問題である場合には、それはきわめて有効なテストになる。その程度のことに答えられないのでは、とうていコミュニケーションを密にはできないことになる。

現代国語というのは理解力を向上させ、広範囲の教養を身につけさせるために非常に重要な教科である。でも、そのような認識は、あまり共有されていない。「現国は勉強の仕方がわからないし、解答もアバウトだし、やってられないよ」みたいに言われ、できる人は好きだが、できない人は嫌いというだけの教科になってしまっている。

理解するということを目的に教育を考えたとき、現代国語は非常に重要な教科だ。その重要性を認識して、きっちり教えることのできる先生でないといけない。目的というのは、できるだけ奥深いほうがいい。「自分はいま、このテキストを使って教えているけれども、これを通してきみたちに伝えたいのは、人間に対する理解力なのだ。その理解力というものは、あらゆる場面で出てくるんだよ」ということを、説得力をもって語れることが大事である。テキストを通して、非常に奥深い狙いを相手に伝えることのできる力が、教育では必要なのだ。

たとえば中島敦の『山月記』が高校の教科書に載らなくなったとする。そうすると、たいていの教師は次の年から『山月記』は全く扱わなくなる。『山月記』がいいと思って教えてきたのであれば、教科書会社が採用しなくても自分で刷って、読ませるべきだろう。教材選びは教師の生命線だ。教師には、テキストを編集する力が求められる。

自分は『山月記』によってなにか重要なことを伝えられるという確信があって、なおかつ教科書に載っているということは便利なことだから、それでやるというのなら、いい。でも、中島敦の面白さを伝えるのだったら、もしかしたら『名人伝』かもしれないし、『弟子《ていし》』かもしれないし、『李陵』かもしれない。そう思えば『山月記』を読んだあとに「こっちへ行こう」とか「『山月記』を読む前にこれをやろう」というようなことも思いつく。教科書は便利であり重要であるけれども、それをもっと大きな視野で位置づける力が教師には求められる。

厳しい言い方をするならば、教科書を解体して生徒に与えることができるぐらいの力がなければ、教師をやってはいけないと思う。その人の読書、勉強の範囲が狭ければ、所詮テキストの集め方も偏ったものになるだろう。あるいはつまらないものをさぞ、りっぱなもののように、分析すべき価値のあるかのように勘違いして採る場合もあるだろう。

そう考えると、テキストを編集させてみれば、かなりその人の実力がわかる。あるいは、それに対して問いを立てさせて――簡単に言うと問題をつくらせて――みればわかる。だから、試験問題をつくるのは非常に大切な訓練なのだ。

4　試験について考え直す

問題をつくり評価する力

テストは、その生徒の能力をはかったり、個人差をつけて選別したりするための必要悪である――などというちっぽけな考えを持って試験問題をつくってはいけない。その試験問題を通してその教科のすごみを伝えてやろう、というぐらいでないといけないのだ。

そもそも私は、入試問題やいろいろなテスト問題が、もっと高い評価を与えられていいと思っている。だが、つくるほうは本当に大変なのに、問題にミスがあったときだけ新聞沙汰になっているのが実情だ。

たとえば「○○大学でこんなにいい問題が出た。それはいかに教科の本質を問う見事な問題であったか。具体的かつクリアな、本質を突く設問であったか」というようなことが、マスコミで話題になったケースはゼロであろう。

だが私は、本来、良問づくりの努力に対する敬意が社会に必要だと思う。だから、私の「授業デザイン論」という講義ではレポート提出の際に、中間・期末試験問題の作成をやらせている。問題を自らつくってみて、初めて苦労がわかるというものなのだ。

いざ、問題をつくってみると、つまらない問題をつくってしまう自分にうんざりしてしまう、ということがある。また、論述問題をつくってみたときに、自分で模範解答がつくれない、ということもありうる。模範解答をつくったつもりでも、よく考えれば、それ以外の解答もありうるかもしれないとか、これでは子どもたちには全く書けるはずがないとか、いろいろ悩むわけだ。

そういう悩みや迷いを全部乗り越えてつくっていくのが、テストの問題なのだから、それをつくったり、チェックする、さらに評価をするということは、教育にとって非常に重要なことなのだ。言いかえれば、客観的にクリアに評価する「評価力」を持つということが、教育力の中でも非常に重要だということになる。

評価するというのは大切なことである。テストは人を選別する道具だなどと、単純に決めつけてはいけない。「いま、つけるべき力は何と何で、それに対していま、この生徒の到達点はここである」ということを調べるのは重要なことなのだ。

教師の力量差を見るもの

私たちが小学生のときには統一試験というものがあり、国語と算数を毎年やっていた。だが、反対運動が起こって、全国規模ではこの四〇年ほどできなかった。統一試験をするということが、管理の行きすぎを招くとか、子どもの個性をつぶすことになると批判された。

先日、文部科学省に行った際にある課長に聞いたところ、「統一試験をやることになりました。ようやくできるようになりました」と言っていた。それを実施すると、何が都合が悪いのだろうか。それはどの県、どの市、どの町、どの学校ができるのか、できないのかがわかってしまうということである。そうすると、特定の市や特定の学校の教育力が低いとはっきりわかってしまう。

「学力とは、そうやって点数ではかれるものばかりではない。本当の学力は違うのだ」と言う人もいるが、私の考えでは、学力ほどクリアに摑めるものはめったにない。

算数や英語ができるかできないかというのは、きわめてクリアに点数に出るものなのだ。

統一試験の実施において本当は何が一番こわいかと言うと、教師の力量が問われてしまうことではないだろうか。

テストの結果にひどい差がつくとしたら、それは主に教師の力量差のためだろう。だから本来テストというものは、子どもの力量差を見るのではなくて、教師の力量差を見るものなのだ、と私は思う。クラスごとの平均点を出したとき、「同じ問題でこのクラスは全然できない。このクラスはできる」といった事実があれば、できるようにした先生のほうが教育力がある。これは言うまでもあるまい。

その当たり前の事実を突きつけられるのをこわがっていたのが、いままでの教育界だった。考える力を問いたいなら、記述、論述問題にすればいい。問題を工夫すれば、本質的な学力を問うことはできる。発表形式のテストも、客観的評価が伴えば効果がある。力を伸ばすための授業のやり方はいろいろある。私の場合、一方的に私がしゃべり続ける授業もする。それは効率よく伝えるためには、そのやり方も有効だと考えているからなのだ。それを見て、授業のやり方としては旧態依然とした一斉授業であり、もっと工夫が必要であると見てしまう人もいるだろう。だが、それは意味のないことで、教育効果が上がっているかどうかがすべてなのだ。その意味では、どんなやり方をとってもいいのである。

たとえば一時間、学生たちを図書館に放って、一時間後にもう一回集まれと言う。そして「いままで一時間で調べたことを相互に発表してみたまえ」という授業もありうる。それで教育効果が上がるのであれば、その授業のやり方は正しいかもしれないのだ。

つまり、いろんなやり方があるだろうが、要は効果があったかどうか、ということなのだ。

感動と習熟

教師が生徒や学生に与えるべきものは何かといえば、感動と習熟が二つの柱だと私は思う。

あることを習って、「ああ、面白かった」とか、「ああ、もっともっと勉強してみたいな」とか「ワクワクしちゃうな」と思わせることができるかどうか。それが、感動ということだ。

もう一つは、感動はしないとしても、とにかく何かができるようになった、ということだ。できるようになると、やはり好きになる。これらはつながっていないわけではないけれども、ともあれ、この二つのうち、一つだけでも満たしてほしいのである。

たとえば英語の授業で「ああ、これは面白い。この授業のあとにもっと自分で英語をやってみたくなっちゃう」と生徒たちに思わせる、そういう先生がいたとしたら、英語の先生として感動を与えることができたわけだ。一方で「厳しすぎて、その先生のことはいまいち好きじゃないし、英語という科目に興味もなかったけれど、半年ぐらい授業を受けたら、すごくできるようになっていたので、好きになっちゃった」ということだってありえる。

できるようにさせる力というのも、いうまでもなく先生としての実力だ。習っているときにはひたすらつらかったけれども、続けたら力がつき、好きになった、というタイプの授業もある。とくに語学の場合などは、そういう先生がいる。

塾などでは、力をつけさせられないと、生徒がやめてしまいかねない。そういう厳しい環境の中にさらされているわけだ。それに比べると、学校の先生というのは、それにさらされていない分、ある意味でゆるくなってしまう。いい先生ももちろんいるけれども、必然的にゆるくなる構造の下にあるのだ。

そうした意味でもテストは非常に重要であり、子どもを評価するだけではなくて、教師が自分自身を評価する機会になる。その評価基準を客観的な形にして、自分自身に問いかけをし直すようなシステムをつくるということ、それが重要だということになる。

教師にとって一番まずいのは、見通しがないということ。だから、「見通し力」を持っているということが大事である。会話しているときでも、相手の話がどこへ向かって行こうとしているのか、が見えないとつらい。授業なら、なおさらだ。見通し力があれば、むしろ自由を受け入れる余裕もできる。議論が混乱した場合でもこちらに導こうといった道をあらかじめ何本か見すえておいて、そこに敷石を一つ置いてそちらへ誘導していくということが、教師の場合は必要だ。

だから対話は下手だが良い教師というのは、ほぼありえない。「対話力」というのが教師にとっての一番の基本だからだ。対話はうまくできないが、教えることはできるという教師がもしいるとすれば、恐らく型にはまった役割しかできないだろう。実際には、先生というのはインタラクション（相互の交流）によって意味を生み出すほうが効果的なのである。

というのは学習というのは、自分が関わったと思えると急に吸収が深くなる。キャンプでカレーをつくるときと同じだろうか。自分がつくることに関わったものというのは、多少難があってもおいしく食べてしまうことがある。そういうのと同じだ。

教育でも授業に自分が参加しているという意識になると、急にその吸収度が高まる。その参加感をうまく醸し出す、演出するというのが教師としての能力なのである。

対話は参加感を増す。一人対多数でも、上手に発問して相手の発言(コメント)を引き出すことによって、クラス全員が対話している空気をつくることもできる。それも教師の技である。

うなずきの役割

落語の世界では、マクラというものがあり、長い噺を本格的に語る前にちょっとした小咄とか、最近あった自分の身の回りの面白い話などをする。かつて古今亭志ん生という、大変すっとぼけた名人がいたが、その志ん生の『なめくじ艦隊』(ちくま文庫)という本に、マクラについての話がある。

落語家はマクラを振ることによって何をしているかといえば、観客の気持ちをほぐすだけではなくて、今日の客はどういうレベルなのか、どういうことが好きなのか、というのを感じとるといっている。

たとえば、これぐらいのクスグリ(面白い話)で受けないとしたら、「今日の客は粋《いき》じゃない」とか「団体客かな」などと、いろいろ見抜く。そして客のタイプに合わせた噺にもっていく。

これはプロの熟達した技だ。

それと似たようなことが授業にもある。先生の立場からすると、自分の話がわかったときや知っているときは、生徒にうなずいたりして反応してほしいものだ。そのうなずく仕草によって、先生は安心して次の言葉を話すことができる。反応によっては発問を変えたり予定を変更したりすることが必要だ。

逆の場合についても、そのことはいえる。たとえば子どもが教壇に一人で立って、プレゼンテーションをやったとする。そのときも教師の励ましが必要なのだ。アイコンタクトをし、うなずきで励ますということだ。先生と生徒が反応し合うことで、密度は高まり、場の空気は生き生きしてくる。

これからの教育においてプレゼンテーションがうまいということは決定的に重要だ。欧米社会にくらべて、プレゼンテーション力は低い。だから、プレゼン能力を鍛えるために授業も変わっていかなければいけない。

出題者・採点者の立場

子どもには教壇に立たせるだけでなく、採点をやらせることも大事である。採点者になる。あるいは問題作成者になる。これが、ある意味では教育の中でもっとも効果的なやり方なのだ。

小論文の指導であれば、生徒たちに数枚のサンプル(もちろん匿名の、問題の起こらないものを用いる)の添削をさせ採点をさせる。それが、手っ取り早い上達法だ。どう直したらいいか、書き込ませる。採点の根拠をはっきりさせる。

四人グループぐらいで採点をしていくプロセスで「これが、ほんとうに九〇点なの？」などと話し合わせる。すると「そんなにいいわけないでしょう」という議論が生まれる。そのとき、採点基準というものが意識され、共有されるようになる。

大事なのは、このスタンダードを共有するということ。どういうのが八〇点で、どういうのが六〇点なのか。この基準を共有するのがとても大切なことだ。好き嫌いで採点されてはたまらない。小論文の点数が採点者の主観によってあまりにも異なっていたら、問題だ。五点ぐらいならいいだろう。けれども、採点者によって一五点、二〇点と差があるようだったら、それはもう、公平な試験と呼べない。

だから、予備校などでは採点の前に、基準を統一することを目的として会議をする。「こういうのを何点にしましょう」、そういう約束事を五、六項目定めると、あとのことはおよそ推測できる。おのずから決まってくる。その点数に関して認識がずれることは、採点者のレベルが高くなるとほとんどない。

生徒たちの場合も、採点の基準を共有していく作業をする中で、採点者の側からの風景が見えてくる。そして、採点者（出題者）の気持ちがわかるようにならないと、実は最終的に勉強はできるようにならない。このことが多くの場合に見落とされている。

たとえば、現代国語の問題を解くときに、いつまでたってもできない人がいるが、そういう人は出題者の立場に立ったことがないのだといえる。出題者がなぜこれを聞くのか、なぜこうまで苦労して、イロハニの選択肢を考えたのか。この問題はよく工夫したな、などとわかるようになってくると、格段に点数が上がることにもなる。

相手の意図をしっかり摑まえるということが、現代国語においては重要な眼目である。そして、出題者の意図を見極めることができる能力、それは実は現代社会を生き抜いていく上でも重要な能力なのだ。

採点者側に立つと気分もいい。ＡＢＣをつけたり、点数をつけたりして人を採点するというのは、とても気分のいいことなのだ。「まだまだだ。もうちょっとがんばるように」などと書くと、自分がえらくなった気分になる。気分がいいと同時に、責任が生まれ、緊張感を感じる。出題・採点は、客観視するための練習にとって非常に重要である。主観で採点しない。説明を求められたときに、「これこれこういう理由だから、君は六五点なのです。七五点にはなりません」と、答える必要がある。採点というものは、きちんとした理由がないといけないのだ。

相手の意図を汲み取ること

「テストはいかん。国語のテストなど、やめてしまえ」などという意見を聞くと、私はほんとうに無責任な人たちだなと思う。テストをやめて、国語力が向上するのだろうか。作家の方でよくそう言う方がいらっしゃる。だが、ご自分は日本語が得意かもしれないが、国民というか、全体の力がアップするためには、やはり基準が必要なのだ。現代国語のようなものには基準がないかといえば、明らかにある。

試験には、必要とされる力を基準として共有する意義がある。

それができるようになることが大切だ、というメッセージを送り続けるというのがテストの意味。だからテスト廃止論者というのは、私は大変無責任だと思っている。

なかには、良くない問題もある。大学入試でも「それを聞いてどうするんだ。この知識の有無など、全く意味がない」という問題はある。教師にとって大切なのは、何をスタンダードとするのか、という価値基準を持つこと。そしてその基準を共有できる良い問題をつくる、ということである。

アナウンサーになるための試験は一万倍を超える競争率だが、最終段階で五人、一〇人にしぼられるメンバーというのは、案外、各局で重なるケースが多い。一つの局ではなくて、二つ三つに受かって最終面接まで行くのだという。それは、要するに人を選ぶ基準がかなりクリアだということだ。

だから、試験を受ける側は、本当に問われている力は何であるかを把握することが大切だろう。いま問われているのはどんな力なのだろう、という点を見失わないようにする。それを練習するのは、たいへん大切なことである。というのは、社会人として仕事をするときに要求されていることと違うことをやってしまう人というのが、やはり少なからずいるのだ。そうすると、一所懸命にやっても意味をなさないことになる。試験には、社会で必要な「相手の意図を汲み取る」力の練習という役割もあるのだ。

「二つの時間を生きる」

前に述べたように、対話においては――そして授業においても――いくつかの見通しを持つことが必要だ。相手と対話しているわけだが、頭の中では意識を常に二つの線路の上に走らせるようにする。一つの線路は、相手(生徒たち)と一体化している感じ。そこで一緒の時間を生きている感じである。もう一つの線路では列車は少し先を走っているのだ。先に置き石がないか、などを見ておく。そして、こっちへ行ってはだめなのだなどと、あとの電車に指示を送るのだ。それを私は「二つの時間を生きる」という具合に表現する。

ライブ(その場の生の空気)を生きるということと、もう一つそれを超えた意識を持つということ。メタ意識と言ってもいいかと思う。メタとは「超えた」ということだ。

通常の意識を超えた意識で全体を見通して、世阿弥の「離《り》見《けん》の見《けん》」という感じで見通す。自分が演じている。その演じている自分を観客のほうから、もう一度見直すのが離見の見だ。こうした複線的な意識で二つの時間を同時に生きることが、授業を展開させていく上で大事である。

生徒のほうは多少巻き込まれていてもいい。しかし、先生も一緒になって巻き込まれて、「え！　何だっけ」「これからどうするんだっけ」というのではまずい。まず頭に、二つの線路を走らせることができるようにすることが大事なのだ。これは練習が必要かと思う。

まず必要なのは、いま、いったい何のために何をやっているのか、を常にはっきりさせる習慣をつけるということだ。いつ、その質問を受けても、「私はこれのためにこれをやっています。短いスパンでいえば、この四〇分で、こう」「この一週間で、こう」「この一年間を通していうと、こう」「一年のスパンの中で、今日のこのときを位置づけるならば、これこれこういう意味でいま、これをやっています」といった具合だ。目的意識にもとづいて、現在の意味を説明できる力が大切なのだ。

目的意識なく、ゆるやかに時間を過ごすだけだったら、学校教育は必要がない。それだったら家庭でもいいわけだ。先生と一緒に過ごすということは、意識をクリアにするという練習である。だから、生徒の意識もクリアになるように教師は努める必要がある。「いま何をやってるの」と聞かれて「ええと、うーん、まあ勉強です」とか、「何となく、何かやっています」などと朦朧とした答えばかりが返ってくるのでは話にならない。

一流の人はみんな、何のために何をして、何のためにこうしているというように、意識が発達している。そういう目的意識にもとづく意味づけがはっきりしていて優先順位を間違わない、というのが才能といえば才能だ。それを才能と呼ぶのだとすれば、私はあらゆる人にその可能性は開かれていると思う。

自分の技への信頼感

トレーニングの効果は、意識のクリアさによって決定的に左右される。柔道の野村忠宏選手と対談した折、こんな話を聞いた。彼は少年時代、市の大会かなにかで女の子に負けたらしい。体が小さすぎて、とにかく勝てなかった。中学でも高校でも全く勝てなかったそうだ。でも、全く勝てない時代から、ずっと「自分は、技は切れる」と思っていたらしい。「この技で絶対にトップになれる」と、なぜか確信を持っていたそうだ。

それは、彼の中に基本がたたき込まれていたからだ。しっかり組んで、きっちり型にはまって、投げる。ただ体重がなくパワーがないので、それが実現していないだけなのだ。だから時期がくれば、自分は絶対にトップになれるという自信を持っていた。

勝った負けたということには、経験の差、体力の差をはじめ、実際上いろいろな要素がある。だが、技という角度から見たときにどうだろう、という観点が大事なのだ。

この「技」というものが、実は日本を支えてきた概念なのだ。素質と関係なく、技を丹念に磨けば誰でもが一流になれる、という考え方が日本人の向上心を支えてきた、と私は思う。たとえば生まれつきの才能のあるなしで決まってしまうのだったら、みんな努力をしないだろう。そうなったら、社会全体が停滞状態になってしまう。

向上心を支えたもの。それは、きっちりした技を身につければ、絶対に一流になれる、それは間違いないのだ、という信念だ。それは技の概念でもあり、型の概念でもある。そういう確信が野村選手の中にあって、技を磨きつづけた結果が、五輪三連覇という偉業だったのだ。

野村選手は、背負い投げを軸として足を払う技など、三方向の得意技を持っている。相手にしてみると、背負い投げを警戒して腰を落とすと後ろへ倒される。その二つに気をつけても、もう一つ違う方向の技がかかってくる。三つを同時に注意しているのは無理なのだ。三つを同時に注意しようと思っていると、背負い投げにかかってしまうという話だった。

それを避けきれる選手はいるのかといったら、「まあ、いませんね」と豪語していた。この対談の一か月ほど後にアテネオリンピック(二〇〇四年八月)が行われ、彼は見事、金メダルを取った。

たとえば、「今日は調子がいいから、いける」「今日は調子が悪いから、だめそうだ」だと、安定感がない。ところが、彼の場合、そうではなくて、調子がいい悪いにかかわらず、自分の技は崩れないと信じている。

あらゆる相手の技に対して、必ず反応できる体もまた技である。反応できる体を二〇年かけてつくってきたのだという自信が彼にはある。その自信が本番で彼をリラックスさせる。自分の持っている技への信頼感が、精神のあり方にとって非常に大切なわけだ。

指導者(コーチ)としてはその人の中の技の萌芽を見抜いて、「君にはこの技がいいのではないか」と助言してあげられることが大事だ。人によって得意技はそれぞれ違う。

他の金メダリストでは、吉田秀彦選手の場合はケンケン内股。足を内側からかけて、何度も片足ケンケンをして、転ぶまでやる。古賀稔彦《としひこ》選手の場合は、一本背負いだった。足を伸ばしたまま、高い位置から落とすやり方である。

最後の場面で頼りになる技というのは、そんなに数は多くないものなのだ。プレッシャーのかかった場面で、果たして自分はどんな技が使えるのか。その技をしぼりこみ、鍛えるのが指導者の非常に重要な役割になる。

社会に食い込む技術

まずは一通り教える、というのも大事だ。「まずは一通りやってみろ。そのなかで自分がピンと来るものを見つけろ」。何が自分にフィットするのか、はじめは誰だってわからないものなのだ。

それは教科でも同じである。いろいろな教科があって、どの教科にはまるのか、自分でもなかなかわからない。一つでも得意科目ができれば、勉強アレルギーはなくなる。まずは一通りやってみるのが大切だ。

その上で、自分がフィットしたものにのめり込んでいく時間が必要だ。そののめり込みを助けるのが教師の役割なのだ。「そこにしばらくのめり込んでみろ」「その技だけちょっとやってみろ」という感じであろう。不定詞や一次関数など、一点を突破するだけで自信がつく。

得意なものをつくって自信をつけ、どんどんチャレンジしていくというやり方は、社会に出ても基本となる。社会というのは、どこかに食い込まないといけない。社会から弾かれて、そのままという人が、若い人でも意外に多い。社会は人を弾くのだ。めったに入れてくれない。いまや、正社員にはめったにしてくれない。時給で都合よくパートで働かせて……という風潮が高まっている。

そのなかで社会に食い込む技術を教えなければならないのだ。ただ単に学校を出ただけでは、仕事に就けない。そうすると人生全体がやはり、だんだんつらくなってくる。経済的にも苦しくなってくるし、自分のやりがいが見つけられない。そういう人生はやはりつらい。

そうさせないようにするという意識が、小学校、中学校の先生にも必要だと思う。いままで、そういう意味でのほんとうの社会性――社会で通用する力という意味での社会性――を、小・中・高とどれだけの教師が意識して、日々授業をしてきただろうか。

もちろん学問を通して人間を育てるわけだから、学問を教えるのは基本だ。けれども、常に「この子は果たして、社会のなかに食い込んでいけるのだろうか」という意識でいたら、教え方そのものも変わってくるだろう。

たとえば、算数で何度も何度も同じミスをする。それは、単に算数ができる、できないという問題にとどまらない。いまこれをやろうとしているときに、まさにその当のことが頭に入らず、抜けてしまう。それは、たとえばウェイトレスになった時に、注文を忘れてしまうということだ。大事な用事を忘れてしまう。それを忘れないようにする訓練をしているのだ。

あるいはテストで「いつも、本当はできるのだけど、ケアレスミスで一〇点を失っちゃったから、結果は七〇点だけれど、本当は八〇点なんだ」などと言う生徒がいる。

でも「その『本当は』などというのは意味がないんだよ」と教えないといけない。できていない、ということが問題なのである。テストだったら、解答を返してくれる。それがケアレスミスで点を失ったとわかるけれども、社会では、相手はそれを言ってくれない。次からその人に仕事を頼むのをやめるだけである。

たとえば、英語の本の下訳を頼んだとする。その訳文をざっと見ていくと、日本語として明らかに意味の通じない文章が出てくることがある。そこは誤訳の可能性が高い。原書のほうは、必ず意味が通ずるように書いてある。英語力以前に日本語として「これはおかしい」ということに気がつかないといけない。気づけば、もう一度辞書を引き直す。それでもわからなければ、「ここは意味がとれませんでした」と書いておくべきだ。不安な所をあいまいに放置してしまう無責任さが、仕事では一番まずい。

ミスの多くは、注意深さがあれば防げるミスなのだ。でもその人にいちいち「あなたのここは、こういうふうに間違っていて、それが不注意のために生じています。それを直してください」と指導したりするひまは、仕事の世界にはない。その人は、自分でも気づかないうちに信用を失う。

信用や信頼というものが次の仕事を呼び込むのだ。だから、信用を失うということが、どれほどの損失であるか、やりがいを失わせるものであるのか、教えなければならない。人が働くというのは、金銭のためだけではない。私たちは誰でも、もちろん経済的にも豊かになりたいと思っているが、同時にその仕事を通して生きている意味を実感できる、言い換えれば生命の燃焼感、充実感を得ることができるような、そういう仕事を求めているわけだ。

そう考えると、信用がないということが、そういう仕事のチャンスを逃してしまっているのだということを教えないといけない。

たとえば、時間や提出期限に関してルーズだということ。それは友達同士の関係なら何とかなるものの、社会人になるとほぼ許されない。学生の間は許されているが、その気分が抜けずバイト感覚でずっとルーズな人に対しては、途中から相手も注意するのが面倒くさくなる。「こいつには頼むまい。社会性がない」ということになる。学校はそういうことも訓練するところなのだ。

仮に、「遅刻してもいいよ」「ケアレスミスをしてもいいよ」という社会であれば、学校もそのようにルーズに対応していいかもしれない。そうすれば、楽しく過ごせばいいという場所になるであろう。しかし、社会は現実にはそうならないし、年々もっとハードになってきている。

評価がどんどん厳しくなっている社会の中で、逆にゆとり教育といった形で「あんまり勉強ばかりせず、のびのびと個性を発揮すればいいんだよ」という教育をしたところで、ギャップが起きてしまうわけだ。

「信用」を得るために何が必要なのか。これをしっかり教えるのが教育者の使命である。

5　見抜く力、見守る力

勉強は本来おもしろいもの

憲法で教育を受ける権利が保障されている。これは親から見ると、子どもに教育を受けさせる義務である。私たちが公立の小中学校を国民の税金で賄っているのはなぜかというと、この社会を支えていくのに必要な基礎的な知識・能力を次世代に身につけてもらうためだ。

しかし、義務教育であんまりゆるくやってしまうと、社会的能力の再生産ができなくなってしまう。社会に食い込んでいけない人たちを送り出してしまうのだが、それは、罪なことだと私は思っている。だから、ゆとり教育が見直しということになったのは、基本的には賛成だ。

もちろん楽しくなければやる気にならないという面もあるから、当然、楽しさも先生は生み出していくわけだが、しかし、生徒がどんなに「うぇー」と嫌がろうが何と言おうが、必要なことはきちんと身につけさせる。学校とは、そういう場所なのだ。

大学生でも、専門としてやってきた学問について自信をもって語ることのできる者は少ない。鈴木敏文さんはこう言っていた。「面接試験で大学生がバイトとかサークルの話をするのは、自分は評価しない。何を勉強してきたのかが言えないとだめだ」と。

勉強が本業だということが、学校では忘れられがちだ。勉強が生徒を苦しめるかのようなことが言われているが、それは先生のほうが、本当にその勉強が面白いという水準にまで達していないからだと私は思う。本来は、やはりとてつもなく面白いことなのだ。

理科などという科目は、いま思うと、もっと真面目にやっておけばよかったと、私でさえ悔やむぐらいだ。というのは、一個一個が大発見なのである。そこには人類が始まって以来の興奮みたいなものがある。たとえば、ワトソン－クリックによるＤＮＡの二重らせん構造の発見など、三日ぐらい眠れない、というほどの感動を受けた人もいると思う。

生物の授業で私たちはＤＮＡの模型をつくらされて、四つの塩基を一個一個貼ってつないでいった。ああ、くだらないことだ、高校生がやることではない、と思ったものだが、いまでもよく覚えている。手作業というのは、やってみると記憶に残るものなのだ。科学者の苦労が一万分の一でも共有できたような気持ちになるから不思議だ。

たとえば美術の時間でも、ルノワール風ならこう描く、などと教わりたかったな、と思う。ルノワールだったら、リンゴを前にして(デッサンはできているとして色を付けていくだけとする。そういう紙が配られていて)「この色とこの色とこの色を出して、こうやって描くと、ちょっとルノワールっぽいでしょう」「次はゴッホ。荒々しく黄色を塗るのがコツ。絵の具をもったいないなどと考えず、黄色をグチャッとやって。ほら、ゴッホっぽいでしょう」といった教え方だ。

そういう授業をやってみると、何がいいのか。一度描く側に回ってみると、名画の面白さは、それまでと全然違うものになっているのだ。「これは描いていて、自分も気持ちがいいよ」とか「これだけ黄色を使うといいな。魂が燃え上がるよ」といった見方が生まれてくる。

天才は自分の先生になれる

ゴッホというのは生前は最後まで絵が売れなかったけれども、当人のなかでは壁を突き抜けるブレイクスルーの瞬間があった。それは南フランスに行った瞬間だ。日本の浮世絵と出会ったことも一つだろうが、しかし、南フランスで出会った輝く太陽は決定的であった。そこで見出した色が黄色だったのだ。

それまで炭坑夫の顔などを描いていたが、もう、とにかく暗い。ところが、南フランスへ行って、麦畑とか跳ね橋、星空、糸杉などを描き、南フランスの風と光がもたらす輝きを、黄色という色を獲得することによって表現できるようになった。それによって彼は自分の内側の情熱を、描く対象と一体化させることができたわけである。

彼には先生らしい先生はいなかったけれども、もしいい先生がいれば、オランダで炭坑夫などを描いているゴッホに向かって、「うん、君は日本の浮世絵を見たほうがいいよ」と言って、浮世絵をあげただろう。「この線のシンプルさはどうだ。そして、色のクリアさ……」。実際にゴッホは浮世絵に惚れこんでいった。

インスピレーションの湧くものと出会わせる、刺激のある環境を与えるのも教師の役目だ。「君は絶対に南フランスに行ったほうがいいよ。輝く色が君を変えるであろう。ついては南フランスの安い宿屋(アパートメント)を私が紹介して、いま予約してあげるから」。段取りまで整えてあげる。「君が行けば、もうわかるようになっているから」という形で紹介する……。

天才といわれている人たちは、自分自身が自分の先生になれる。自分はいま停滞している、その自分をもっと伸ばすには、何と出会わなければいけないのか、が本能的に察知できるということだ。自分で自分を教育できる人は伸びていく。

才能とは、自分に必要なものがわかるということである。

ハンマー投げ五輪金メダリストの室伏広治さんは、自分に必要な練習を自分で工夫する。対談の際に、一本歯のゲタを使った鍛練法や相撲トレーニングなどを実際にやって見せてくれた。そんな彼にもコーチがいる。お父さんの重信さんだ。

重信さんは「アジアの鉄人」、ハンマー投げのアジアの無敵のチャンピオンだったが、世界には届かなかった。その気持ち、親の怨念のようなものがある。「自分はアジアどまりだったが、しかし……」といった執念だ。だが、「ハンマー投げをやれ」とは絶対に言わなかったのだ。「好きなスポーツをやりなさい」と言っていた。しかも、息子が実際にハンマー投げに手を着けてからも、ほとんどずっと見守っている。めったに口を開かない。「見ることがコーチの仕事なのだ」と言うのだ。ずっと見つめて、たまにひとことポンと言う。そこで変化が起こるという。

見抜いて見抜いて我慢をする、見守る能力が、教師にとって重要である。思いついたことを全部言ってしまうのはだめなのだ。「君の悪いところ、いまちょっと見ただけでも、七つぐらい見つかった。順々に言いますよ」といった感じで、私などすぐ伝えたくなってしまう。けれども、まず我慢する。そのなかで一つだけ言うかどうかを迷う。しかも、それを言ったからといって、良くならない。だめなところがわかるのは教師にとって非常に大切な能力だけれども、それですべてではない。

それは必要条件で大事なことだが、それで十分なわけではない。問題は、その状況を打開するアイデアが浮かぶかどうか、ということだ。だから悪いところを指摘して直る人に対しては、指摘してあげればいい。でも、悪いところを言われてすぐに直るほど、上達は簡単ではない。そうではなくて、何か別の練習をさせることによってその悪いところが直っているという、そんな練習方法を思いつくかどうか。

あるいはポジティブ(積極的・肯定的)なコメントをすることによって、そこに意識が行き、それによってだめなところが直ってくる。良いところのある部分を拡大することによって、悪いところのマイナスポイントが減っていくやり方。これが基本だ。実際に、厳しい勝負事になってくると、どの技も平均点のレベルという人間よりも、何か強い技を持っている人間のほうが勝てる。社会の中でもはっきりとした技を持っている人間のほうが使いやすい。使いやすいというのは悪い意味ではなくて、仕事を頼みやすい、任せやすいという意味だ。

そう考えると、いろいろな悪いところが見えたとしても、めざす最終型がヴィジョンとして見えていることが大事である。もちろん、完全にではなくてもいい。

ゴッホの最終型なんて、おそらくゴッホとつきあっている人には見えなかっただろう。けれども、ゴッホの中の、止むに止まれぬあの異常なまでのパッションを表現するには、「もっと光が必要なのだ」とか「もっと何と出会う必要があるのか」というようなことが直感的にわかる人はいたかもしれない。そういうことがわかるのが教育者としてのセンスである。

どんな生徒にも必要なことを提供する力

そうすると、教育者の中に類型として二つの能力が必要とされる。一つは、個別対応的に課題を見抜き、練習メニューを臨機応変に工夫できる力。もう一つはスタンダードな教育力。どんな生徒にとっても必要なことを提供できる力。その人の好き嫌いとか、その人の体の向き不向きとかいったことを超えて、とにかく絶対に必要な力を引き上げていく。

たとえば「百ます計算」や漢字の書き取りがそうだ。「向き不向きがあるから、『百ます計算』なんてやらないでいい」という問題ではない。とりあえず、人は頭を働かせる必要がある。前頭葉、前頭前野を働かせるべきだということにおいて異論はない。

そのことがコミュニケーション能力の基礎であり、人へのやさしさにもつながっている。前頭前野を働かせるようにするのが、教育の大きな目標になるのは間違いのないところだ。

すると前頭前野を活性化させる「百ます計算」は算数のようだが、それを超えて意味がある。すべての教科をやる前、すなわち朝やってみようというのは大変いい。しかも、自分の記録がどんどん縮まる。「自分に挑戦するのだ。他人との競争ではない。昨日の自分を超えよう」といったら、誰だって意欲が湧く。

またフォーマット（型）もシンプルなので、普及しやすいという点でも優れたやり方である。また、簡単で効果がある型として「朝の十分間読書運動」も優れている。本の好き嫌いに関係なく、「読書は必要なことなんだよ。とにかく自分の好きな本を読んでごらん」と指示することによって、クラス全体が落ち着いて授業に入れるようになる。

本を落ち着いて読める人間というのは、人をむやみに殴ったり、授業中に騒いで飛び出したりしないものだ。それが心の訓練というものである。前頭前野を働かせて、自分の感情をコントロールできる状態だ。一つのフォーマットを通して全員の能力を上げていく。そういうスタンダードな手法を持続的に運営できるのは教育力の大切な基礎だ。

正直な話、教師というものはほかの職業にくらべて、資質が大きく影響する仕事だと私は思っている。もって生まれたもの、そしてそれまでの人生でつちかってきたものを、いまさら変えることはできない。その人の人間性、能力すべてがあらわになってしまう。その人の気迫とかメンタルコントロールの能力、学問をどれだけしてきたのか、何をしてきたのか、ということが全部見透かされてしまう。そういう意味ではごまかしが利かない難しい仕事なのだ。だから決定的に資質が影響する。それは生まれた時の素質だけではなくて、その年齢までに積み重ねたものという意味を含めて、である。

だから逆にいえば、そういう意味での資質のない人を二三歳ぐらいで採用して、研修をやって、教室へ送り出すのは無謀というものなのである。採用に関してもっとエネルギーと費用が注ぎ込まれるべき領域である。

さまざまなメソッドに学ぶ

先ほど「百ます計算」に触れたが、もちろんほかにもいろいろな授業のやり方、メソッドはある。

「コボちゃん作文」というものがあり、工藤順一さんが『国語のできる子どもを育てる』（講談社現代新書）で紹介しているのだが、『コボちゃん』という讀賣新聞の四コマ漫画を二〇〇字にまとめるという練習である。

それを知って面白そうだと考え、すぐ次の日にはもうやった小学校の先生がいた。やったら、子どもがすごく喜んでどんどん書いていく。それを先生が添削して返す。先生も大変だ。だが、それを続けていたら、子どもの文章が格段に良くなってきたという。

いい方法があるなと思ったら、それをすぐにやってみるのは、いい先生だ。子どもの反応を見て、自分のクラスの子どもに合うようにアレンジして使えばいい。「うちのクラスの子には、ちょっと『コボちゃん』は難しかったな。しんちゃん（『クレヨンしんちゃん』）でやってみるかな。そうすると騒ぎすぎてだめだな。じゃあ、『ちびまる子ちゃん』ぐらいにしてみるかな。『ドラえもん』がいいかな」……。

私は最近、『ドラえもん』で文脈力の問題をつくった。「では、なぜのび太は、ここでこう言ったのでしょうか」といった感じの現代国語の問題をつくって本にした（齋藤孝／藤子・F・不二雄『齋藤孝のドラえもん読み解きクイズ　名作漫画で国語力アップ』小学館）。ドラえもんを使って何かやるという試みは、他にも考えられる。『ドラえもん』英訳本も楽しいテキストになる。

授業のメソッドは、たくさん世の中にあるのだから、教師は自分に合っていたり、自分の教えている生徒に合っていたりするやり方を貪欲に吸収することが大事だ。そしてアレンジして自分のものにしていくのだ。だが、その意味で、今の教師たちは研究の仕方が足りないのではないだろうか。

昭和三〇年代、四〇年代の教師は、民間の研究会を盛んにやっていた。どこかにとてもいい先生がいると聞くと、そこに学びに行ったのだ。公開研究会もたくさんあって、ある学校でいい教育をやっているとなると、全国から何千人、何万人と先生たちが足を運んだ。場合によっては自分でお金を出して行くという形だった。

そういう意欲にあふれた人たちが昭和の教育を支えていたわけだ。それと比べると現在の二〇代の教員は、研究会参加率が低い。新しいメソッドを吸収しようという意欲が明らかに落ちている。私が若手教師の会を運営していた時には、参加者一人にまで落ちこんだ。

そういう研究会への参加をしないと、どうなるのかというと、教師用の指導書を頼りにひと通りの授業をして、こと足れりとしてしまう。そういう人の授業は、やはり生き生きしない。教師は工夫しつづけることを義務づけられている職業なのだ。

いわゆる教育関係でなくても、たとえば工場を再生する名人、山田日登志《ひとし》さんのような人の講演会があったら、行ってしまう意欲がほしい。トヨタ方式で徹底的に無駄を排除するというやり方であらゆる工場を再生する実践は、教育にもヒントになる。

「ああ、トヨタ方式のムダとりというのは、授業に使うと面白いな」とわかって、「ストップウォッチを持たずに授業をしていた私……」という疑問が生まれたりする。私は、実はストップウォッチを持たずに授業をするのは犯罪だ、と思っているぐらいなのだ。簡単に言うと、「人の時間を何だと思っているのだ」ということである。私の授業では、「次の作業は一分半」といったら一分半で切る。そうやっていくと、ふつうの授業の三倍は密度が濃くできる。ストップウォッチを使えば、誰でもそうなる。教育界では、「効率の良さ」があまりにも軽視されている。このことに私は強い怒りを感じている。

だから、そういう工場再生のような番組を見ると、「これはそのまま授業に使えるぞ」と思って、次の日からやる。ヒントを得て、自分のメソッドにアレンジして生かしていく。常にそういう工夫をしつづけることが大事だ。

私はこの本で、あらゆる仕事においてリーダーになれる資質について述べている。もちろん主題は教師だが、私のいう能力というのは、どんな職場に行っても、その人がリーダーになるとしたら求められるもののはずだ。

あちこちにアンテナを立てておいて、いまこういうものが評判になっているから「それを自分の仕事に応用したら、こうなるのではないか」という具合に消化できて、実践できる人。情報収集能力と、学ぶ意欲と、即座にやる行動力。これは子どもにとっても大変うれしいものだ。私も記憶にあるが、「実は先生は、先週の日曜日に研究会に行ってきました。ほんとうにそれがすごくて、瞬く間に単語が覚えられるのです」「じゃ、やってみよう!」となると、私たちはその気になった。やってみると「おお! 覚えられる」。

先生も学んでいるということが、子どもにとって刺激になるのである。先生が一か月ごとにどんどん進化している、ということが大事だ。そして、非常にいいやり方については、逆に「一〇年、二〇年、三〇年たっても、この先生はまだやっているんだ」となるのも大切なことだ。

毎回変わっていく必要はない。でも、ベースはだんだん上がっていくということだ。とても効果があるものは残し、効果のないものは入れ替わっていく。その人のスタンダードなやり方があって、「あの先生は三〇年たっても、漢文の授業を杜甫の白文の音読、暗誦から始めているんだな」といわれるのは、別に恥ずかしいことでも何でもない。むしろ、王道をしっかり歩んでいるという意味で、極めているというべきだ。

そういう基本メニューと、新しく学んできたものを混ぜていくのである。そうすると授業の味付けがフレッシュになる。子どものほうも、この先生はスタンダードがしっかりしている上に、いま自分が学んでいることを自分たちに紹介してくれる、と感じて、やる気になる。

あふれかえる教育欲

教師にとって、学ぶことは才能ではなくて、これは職業としての義務なのだ。あちこちの研究会に行って、夜遅くなっても、それを労働と思わないのが基本だろう。「日曜までつぶされちゃった、研究会に行かされてさ」などという人は、その仕事をやめたほうがいい。教師をやるなということだ。

とにかく子どもたちに教えたくてしょうがない人。そういう教育欲にあふれてしまって、自分の教育欲に身を侵されているような人ががんばればいい仕事なのだ。

そういう人はいるのだ。人を目の前にすると、がんばってしまう人。どうしてもこの子どもたちを上手にさせたい、とムキになってしまう人。たとえば塾の先生でも、授業時間は二時間でとうに終わっているのに、三時間、四時間教えてしまう。生徒のほうはうんざりしているけれど、あとから考えてみるとすごく力がついているので、「ああ、ありがたい！」と感謝する、そういう結果を生むのが、あふれかえるような教育欲なのだ。その教育欲も、他の欲望と同様、淡白な人も旺盛な人もいる。他人に関心がない人もいるのだ。そういう人は別に教師にならなければいい。

ある能力や技において自分自身は超一流ではないかもしれないが、他人が育つことが、なぜか知らないが、すごく楽しい、面白いと思ってしまう人がいる。そして、そういう人にとって、自分の能力を発揮させてくれる、自分の教育欲の熱を少しでもとってくれる相手がいれば、お金を払いたいぐらいなのだ。

そういう人にとって、ほかのところに学びに行くのは、もちろん苦にならない。それは自己実現でもあり、自分を伸ばすことにもなる。否、自分の実力を伸ばすこと以上に、自分をある種の回路にして、ほかの人に水をやるという感じである。

地下水があるとする。それだけでは役に立たないが、それを汲み上げて植物に水をやる。そのための汲み上げポンプが、ちょうど教師の役割なのだ。汲み上げポンプが意味を持つためには、地下水脈を見つけて汲み上げて、水と肥料をどんどんやり続ける。教師とはそういう仕事だと思うと、世の中のあらゆることがヒントに満ちた、役に立つ地下水なのだといえるかもしれない。

その意味では、教育にとって無関係なことは、世の中にほとんどありえない。あらゆることがヒントになる。経営者の言葉とか、スポーツ選手や音楽家の言葉、あるいは漫画家がどう漫画を描いているのか等、そういうものが、私には直接的なヒントになる。

そういうものを全部吸収して次の日に生かせる仕事というのは、幸せな仕事なのだ。常に自分の力を注ぎ込める舞台が用意されているわけだから。教科の実力が安定しているほど、新しいことが試せる。

余談とか雑談というのがあるが、そういうものを生徒は待っている。砂漠でオアシスを求めるように、生徒は余談を待っているのだ。そういうときにそれができない先生はさびしいであろう。どんなに優れた教科のエキスパートであっても、ちょっとさびしい。

「最初からいきなり教科書に入らないでほしいな」とか、「体のエンジンをあたためてから始めてほしい」、あるいは「途中、やはり一つぐらい面白い話を入れてほしいな」と生徒は思うだろう。そのときにちゃんとオアシスたりうる余談として興味深い話ができるのも大事だ。そのことによって生徒たちの世界が拡がり、その教科だけではなくて、生きていくための力になる。

「生きる力」が育つには、まず生きていくモチベーション、やる気というところに火がつかないとだめだ。そのためのヒントが先生の雑談に含まれていることもある。「今日、先生の話を聞いて、僕は会社経営をやる気になりました」という生徒がいたら素晴らしい。

だから雑誌を読むのでも、「生きる力」の刺激にならないかという観点で読むのだ。雑誌に取り上げられている一流の人というのは、それなりのものをみんな持っている。一流の人は全部がヒントになる。どの分野の人もそうではないか。

たとえば料理の世界だろうが、片づけ名人だろうが、何でもいい。アポロ13号の話など、スケールの大きいものから小さいものまで、教育にとっては全部ヒントになる。そういう観点で見ると、非常に楽しい仕事になる。一生、世の中がヒントに満ちている、自分の仕事に関係したことで満ちている、と思えるわけだから。

祝祭としての授業

教師にとって大事な資質の一つとして、教育に関してそれを祝祭として受けとること、を挙げたい。祝祭というのはお祭りだ。「きょうはめでたいお祭り日」というので、いままで貯めたお金を全部使ってしまおう、といった感じだろう。

祭りというのは、たまってしまったどうしようもないエネルギーをみんなでバーンと爆発させるハレの日だ。褌《ふんどし》スタイルになって神輿《みこし》なんて担《かつ》いで汗をかいて何になるのか。おそらく、何にもなりはしない。神様を担ぐという神聖な意義にかこつけて、過剰なエネルギーをみんなで爆発させて盛り上がろうというのが祭りの気分だ。

神輿を担ぐと疲れるからやめておくという人がいたら、人として少しさみしい感じがする。だが現代では、そういう力(エネルギー)の惜しみない爆発をあまり経験していない人も増えてきている。

かつては、エネルギーを惜しみなく発揮することについて、誰も惜しいとは思っていなかった。エネルギーは出すものだ、といった世の中の雰囲気があった。いまは社会がそこそこに落ち着いているので、「いや、疲れるからやめておく」という感じだ。

しかし、むやみな祝祭感覚というのは教育にとって大事なのだ。教育者が面倒を見た相手から十分な恩恵をこうむることができるだろうかといえば、これはほとんど期待できない。教わった側からいえば、そうそう恩を形にしては返せないものなのだ。何年か後にその先生を訪ねていって、「本当に先生のおかげでこうなれて助かりました」という卒業生は奇特である。そういう仕事なのだ。ほとんどの人間が、先生の恩など忘れてしまう。本当は先生のひとことがターニングポイントになったとしても、その当人は忘れてしまっている可能性が高い。

だが、ものの分かった教師ならばそのことについて嘆かない。なぜなら、それは神輿を担いだエネルギーを返してくれという人が、一人もいないのと同じことなのだ。あれはただ、祝祭だったのだ。あの時間を共に過ごしたこと自体が、自分たちにとって祭りの瞬間だったのだ。そういう瞬間を共に味わうことができたことは大変幸せなことだ、と思えばいいのである。

八〇代の方にとっての学び

それは何歳の人を相手にしても同じだ。私は六〇代、七〇代の人を相手に市民大学でゼミをしていたことも多いが、その人たちといても、私は先生というポジションをたまたまとっていただけで、どっちが学んでいるか、よくわからないような状況だった。

そこで過ごした日々は帰ってこない。だが、思い出してみると、もう八〇代の方もいらっしゃった。そうするとその人たちが私の授業によって著しく伸びて、何か社会に大きな貢献をして、変わっていって……という、そういう意味での劇的な未来がその先に待っていたわけでは必ずしもない。まずは学び合っているその時間自体を素晴らしい祝祭空間だとして、喜びを感じられることが基本だったのだ。

学ぼうとしている上向きのエネルギーが結集し、神輿を担ぎ上げてその重さを感じ、汗をかきながらみんなでワーッと盛り上げていた。テキストは適度に歯ごたえがあるものがいい。フーフー言いながら読んで議論して一山越えると、爽快感がある。

たとえば、高齢者の英語教室で、「先週は一時間かけて二ページしか進まなかったのが、今日は四ページもできたね」と喜び合う充実感。今後、本格的に英語を使うことはないかもしれない。でも、使わなくたって、そんなことはいいではないか。学んだことを全部使おうなんて、「生き方がせこい」と思えてくる。

その瞬間、学んでいることで素晴らしい生命の燃焼感が得られている場合、それ自体が目的といえるほどに幸せなことなのだ。だから七〇代、八〇代になって、たとえば自分が重い病気だとわかっても、本を読み続ける人は多い。

とくにいまの八〇代の方はそうだ。勉強することが楽しいことだと知っているから、勉強が義務だなんて思わない。上の学校、高校、大学へと行かせてもらいたかったのに、それを経済的に断念させられてきた世代、本を買ってもらいたくても、買ってもらえなかった世代なのである。

「もう何歳になっても本を読むことが好きで、勉強し続けたいです」と言っている日本人が、世代としてあったのだ。ところが、その存在が薄れてきてしまっている。逆に、本がこんなに山ほどあり、ただ同然で手に入るのに読まない、そういう世代が、いまの二〇代、三〇代なのである。

この変化は民族として言えば、劣化というにふさわしいだろう。もちろん、全部がだめになったわけではない。情報収集能力をはじめ、さまざまな能力は別に下がっていないと思う。ただ、向学心ということになると、明らかに劣化している。原因は、教育の失敗だけではない。時代の変化もある。しかし、このまま没落を待つことはない。教育によって向学心を育てることはできる。

向学心に燃えて、伸びようとしている空気は楽しい。だから、「勉強いや。努力するのもいや」という人が、かわいそうに見えてくる。神輿を担ぐ喜びを知らずに、「神輿なんて、ばかばかしくて」という人が幸せかどうか、である。

「学ぶことは祝祭である」ということを伝えるのが教師の仕事だ。

エネルギーの惜しみない放出といえば、押しくら饅頭みたいな遊びもそうだ。「あんな遊びをやって、だから何なのだ」と聞かれても答えにくい。でも、あんなことが楽しかったのである。エネルギーを放出して、熱を一緒に発散すること自体が面白いわけだ。たいていの部活はそんなものだ。その熱の発散の仕方において学ぶことがあれば、一石二鳥。自分の技が伸びていき、世界が拡がるわけだから。

そうなったときにはただの燃焼ではなくて、自分たちが伸びていっている。今日は昨日と違う自分になれている、というのは生物としての基本的な喜びだ。そういうふうに学び続けて生きていく習慣を子ども時代につけさせることが、私は大事なことだと思う。

「学ぶことがすごく面白い。本を読むことを、なんでつまらないという人がいるのか、全然わからない」と思えるように習慣づけていく。そのためにはまず、教師自身がその時間を祝祭だと感じることが大切だ。

若い人と時間を過ごす幸せ

そもそも、幼い子、若い人と学び合う時間を過ごせるというのは、とても幸せなことなのだ。幼児から一〇代、二〇代の若い人たちと時間を共にできるのが幸せだということは、年を追うにつれてわかってくる。それは未来に関わることであり、それができるというのは、人として間違いなく幸せなことである。

たとえば、ゲーテの『ファウスト』の中にファウスト博士が「時よ止まれ、おまえはあまりに美しい」と、もし自分が言ったならば、悪魔メフィストフェレスに魂を受け渡してもいいという契約をする場面がある。そしてどうなるのかというと、最終的にファウストは言ってしまう。それは、未来を建設するという営みによってである。未来をつくっていく瞬間を美しすぎると思ってしまうのだ。

人間には成長期というものがあり、変わっていける年齢がある。何歳になっても学ぶことはできるが、本質的にはそれほど変化しないという年齢もある。ただ、小学校・中学校とか高校は、ある先生と出会うことでほんとうに変わってしまうことがあるのだ。

あそこであの先生に出会っていたから、いまの自分がある、と言えるような出会いがありうる。それが教育者としての醍醐味になる。それに、若い人というのは、だいたい気持ちがいいものである。エネルギーがあふれているし、素直さがある。与謝野晶子が言っている、「若い人は、とにかくいいところがある」と。そういう素直さに触れることができるという意味でも祝祭なのだ。

三歳児に「いい仕事したね」

料理評論家の服部幸應《ゆきお》さんにこんな話を聞いた。アメリカ合衆国のある幼稚園で、子どもたちがプラスチックのナイフを上手に使って野菜を切りサラダか何かをつくった。それを見たときに先生が、三、四歳の子どもに向かって“Good job”と言ったのだという。服部さんは「うわ、日本とは違う！」と驚いたそうだ。

「日本だったら、たいていそういうときにどう言いますか」と聞かれたので、私は「ああ、よくできたねとか、うまいねと言うでしょうね」と答えた。日本では「いい仕事したね」などと、三歳児にふつう言わないだろう。

だが、このほめ言葉は意外に重要なことだという話になった。小さい頃から、そういうふうに、いい仕事をすることがいいことで喜びなのだということを常に教えている。そういうふうに言われつづけた子どもは、仕事が嫌いにはならないだろう。「働くのが嫌い」などとならないのではないか。

日本でもそういう励ましがあると、だんだんいい仕事をしたいと思ってくるのではないか。だから、励ます言葉を変えようではないか、と二人で盛り上がった。

プレーというものも仕事と両立する。野球選手が「プレーボール」といって、ゲームを始める。ヒットを打ったりファインプレーをしたときに、日本では「ナイスプレー！」とよく言うが、メジャーリーガーはよく“Good job!”という。

自分が全力を尽くした結果、それが非常にいい瞬間になって、ほかの人たちにも役に立っているというのがjobである。自分のためにだけやるのはjobではない。

たとえば、送りバントをしたときに、別にそれほどすごいことではないけれども、“Good job”と言って、軽く拳と拳をコツンと当て合ってみんながねぎらう。君のやった仕事はみんなのためになっている、というわけだ。仕事には、あえて自分を殺してでも、みんなのためになるという部分がある。いやな部分、面倒な部分を引き受けなくては、仕事は成り立たない場合があるのだ。

そういう流れでいうと、“Good job”的な仕事感覚というのは祝祭感覚につながっていく。仕事を楽しくしていく雰囲気づくりがリーダーの役割だ。

観客と共感し合う喜び

だから教育の面白さは、もちろん家庭教師でも味わえるけれども、大勢でやるほうがいい。たとえば生徒が五人、一〇人よりも二〇人ぐらいのほうが面白い。そのほうが盛り上がる。私の場合、三〇人でも二〇〇人ぐらいいても盛り上がる。みんなのエネルギーが結集して、何かを作り上げるという感じだ。それが味わえる仕事は祝祭的だと私は思う。それは芝居で役者が味わっている感覚に近いかもしれない。

舞台をつくっている人だけでなく、裏方さんもそうだ。舞台の仕事というのは、一瞬にして消え去るものだ。野田秀樹さんや鴻上尚史《こうかみしょうじ》さんの演劇、そのほか有名な演出家の方たちもたくさんいて、それぞれいい仕事をしていらっしゃる。見に行くと惚れ惚れしてしまう。

でも、ライブの空間は終われば消えていく。その場にいる人の記憶にしか残らない。ビデオを売っているけれども、買って見てもぜんぜん感じが違う。その場で消えていってしまうものなのだ。そういう仕事に二か月も三か月も準備して、才能のある人が力を結集して、すべて燃やし尽くす。無駄が多いようだが、やめることができない。それほど生の舞台は魅力的なのだ。そのライブの魅力、観客と共感し合っていることが役者にとって一番基本的な喜びだからだろう。

現代の文化の源として、古代ギリシャは非常に重要だ。そのなかでも中心になっていたのは、演劇である。悲劇の場合、ストーリーは運命に対して人間がどのように対することができるのか、というのがテーマなのだ。

『オイディプス王』の場合、予言を避けよう、避けようとしているけれども、そのとおりになっていってしまう。そういうテーマがある。そのなかでカタルシスを感じる。そういう演劇を見ること自体、市民の義務だった。すごい社会だ。

演劇は文学であり、音楽であり、身体表現でもある総合芸術だ。だから、当時はそれぐらい人間の文化活動にとって中心的だったけれども、いま演劇はそれほど流行《はや》っていない。それはやはり、複製文化がメジャーになってしまったからだ。ビデオで、何でも見られる。その場にいなくてもいい、というわけだが、しかし、ライブでしか摑めないものがある。

そして、そういう生の演劇空間における燃焼感と授業のそれとが似ているのである。芝居で観客を集めるのはものすごく大変なことだ。二〇〇人も集めようと思ったら、劇団員ひとり当たりのチケットの販売ノルマは何枚にも何十枚にもなってしまう。それに比べると、学校というのは、幸い何の苦労もせずに、はじめから客がいてくれる。そこで、毎日、ライブができるのだ。そういうありがたみを感じることが、まずは祝祭感覚の出発点。その場を共有できるありがたみを感じるということは、誰にでもできるはずだ。

6　文化遺産を継承する力

理科も国語も数学も……

この章では、教師に求められる教育力として「文化遺産を継承する力」を挙げたい。文化遺産というと、法隆寺とか西陣織とか、どうしてもそういういかにも伝統的なものを想像する。しかし、ここでは学校で扱っているものを一応すべて文化遺産として捉えてみたい。

そういう観点からすると、歴史を教わるのは歴史学という文化遺産。理科も人類が発見してきた文化だ。国語は言語の文化、数学も外国語ももちろん文化だ。体育、美術、音楽、技術家庭科、すべて文化の集約である。

幾何学は古代ギリシャで発達したが、もしかしたら人類はあのようなものを見出すことができなかったかもしれない。そういう意味では、生きていく上で絶対的に必要ではないかもしれないけれども、たとえば三平方の定理(ピタゴラスの定理)はやはり人類として世代を超えて継承したい文化である。私たちがそれを美しく思うとか、真実だと思うもの、その積み重ねが文化というものなのだ。

生活科という科目が小学校にできたが、私たちの生活もすべて生活文化であると考えれば、それも一つの文化の継承である。昔ならば稲の藁を使って、藁のはきものをつくっていたということが生活文化としてあり、折り紙が遊びの文化としてあった。そういうものが生活の中で継承されていったのに、それがどんどん継承されなくなってきたので、これまで学校で教えなくてもよかったものを学校で教える必要が出てきた、ということだと思う。

たとえば生活綴方《つづりかた》運動の中で生まれた作文には、「学校へ行きたい」という記述がある。無着成恭編『山びこ学校』(岩波文庫)には家で炭焼きの手伝いをさせられて、毎日働かないといけないので学校に行けない、ということが書かれている。そういう場合は生活自体は継承されているのだが、逆に学校でなければ学べない文化が継承されない。

学校に行けないと、たとえば数学を習うということは難しい。微分・積分を何となく家で習ってしまったということは普通ありえない。

世界中のいままでの歴史上、積み重ねられてきた文化、およびこの国で日々積み重ねられてきた生活文化といったもの、すべてを文化として私たちは継承していきたいのだ。そのための組織・システムとして学校が考えられている。

しかしいま、学校の先生の中で、自分は文化遺産の継承者であると自己認識している人が、どれだけいるだろうか。「あなたの仕事は何ですか」と問われて、「文化遺産の継承・伝達です」とはっきり自覚的に答えられる人は、現実には少ないであろう。

学校という場所の主たる役割は、広い意味での文化遺産の継承の場だと私は思う。学校の中心は文化である。内容的に見ると、扱っているものはほとんど文化なのだ。ところが、当の教師に文化遺産を継承する意識がなければ、その授業は意図が見失われてしまう。

見る目を育てることの意義

自分は文化遺産のなかの何を背負って、次の世代に伝えていきたいと思っているのか。この問いをまず自分の胸に聞いてみてほしい。ふつうに考えると、子どものころからサッカーをやっていた人が、サッカーのコーチになって子どもに伝えたいと思う――これはナチュラルな動機づけである。そういう人はたくさんいるだろう。

「ブラスバンドで習った音楽が楽しかったので、それをどこかで指導してみたい」と思って、学校の先生になる人も当然いる。部活の顧問になりたくて、教師になる人だっているのだ。もちろんその場合も、部活動の中での文化の継承だといえる。

だが、本来の教科に関して文化の意識を持ち、きっちり教えているかというと、案外おろそかな場合が多いのではないか。

その意味で、これから教師になろうという若い人たちには、自分にとってこれが文化だといえるもの、文化という言葉が自分のものとしてがっちり捉えられるような「これ」が見つけられるか、よく考えてほしい。

文化の水準は、作り手の質だけによるものではない。受け手によっても支えられるものだ。たとえば、文学は明らかに文化である。『源氏物語』などは代表的な文化だ。だが、その文学も以前にくらべるとレベルが下がっていると私は思う。

映画でも同じだ。私は『埋もれ木』(二〇〇五年)という映画を応援していた。監督はカンヌ国際映画祭でグランプリもとったことのある小栗康平。

小栗監督が私にこう洩らした。前作『眠る男』(一九九六年)を撮ったのが一〇年前、そして今回つくってみてわかったのは、「日本の観客がこの一〇年で完全に壊れてしまったということ」だと。映画を見る目がなくなってしまった、ということなのである。

観客が「壊れて」映画の文法が理解できないので、その映画に人が入らない。彼が初めてそういう難しい映画を撮ったのかというと、そんなことはない。小栗監督の映画スタイルは一貫しているのだから、定点観測みたいなものだ。

その彼が、「日本の観客が映画を見られなくなってきたことが、はっきりしてきた」と嘆くのだから、観客の質の低下は深刻である。映画を見ることにもそのための能力、あるいは文化が必要なのである。

溝口健二と黒澤明と小津安二郎が同時に活躍していた時代（一九五〇年前後）が、日本映画にはある。そのころは、日本の映画文化が世界から模倣されるレベルだった。彼らがいたことによって、いまでも日本の映画文化は、つくる側は比較的高い水準を保っている。しかし、観客のほうが壊れてきてしまっているので、その分やさしい映画しかつくりにくくなってきたということだ。

劇場公開の洋画（大人向け）でも、最近は吹き替えが出てきた。理由は、字幕の日本語についていけないからだ。こんな所からも浸食は始まっている。

だから、観客を育てないと、いい映画文化を維持できない。いい映画監督さえ出ればいい、というものではない。いい観客がいてこそ、初めて採算がとれて、いい映画がつくれるという循環なのだ。

スポーツも同じだ。サッカーでも観客に見る目がない時代には、おそらくＭＶＰ（最優秀選手）になるのはフォワードだけ、点を取った人だけであろう。だが、そのうち点を直接取らなくても、「すごくいい動きをしていた」という選手がＭＶＰに選ばれるようになる。そういうところにも観客の目が反映されるようになるはずなのだ。

だからどの領域でも、子どもたちの見る目を育てることが、その国の文化をつくる側にも影響を与えるのであり、それはとても大切な仕事だと言いたいのである。

いいものに出会わせる

絵を鑑定できる、評価できるというのは大事なことだ。身銭を切って絵を買うようになれば、とてつもなく目が磨かれるに違いないが、そこまでしなくても、たくさんいいものを見ていると、うまい、下手がわかるようになる。

この作品はこの程度のレベルだなということが、いいものをたくさん読むことによってわかるようになる。これはどの領域でも同じだ。だから教師の仕事としては、審美眼、つまり美しいものとはどういうものかがわかる眼力を身につけさせる、というのが大切なことだ。

全く音楽がわからない人だと、同じ曲をウィーン・フィルが演奏しても、高校生が演奏しても、同じように聞こえてしまう。それは、聴く耳がないということ。いい聴き手がいないと、音楽文化は育たない。学校というところでは、子どもたちが最終的にどこに関心をもつか、ということは読み切れないのだから、いろいろな可能性を排除しないように、たくさんいいものに出会わせることが必要なのである。

だから、教師、教育者の役割は、とにかくいいものに出会わせるということだ。もちろん、教師が自分でできればすごい。いい絵を描いて、「こういうふうに絵は描くのだ」と目の前で見せられたら、「いや、すごい」と誰にでもわかる。「次に、下手な絵を描いてみよう」と言って、下手な絵を描き、「では、この下手な絵を直してみるぞ」などと言って直すわけだ。

バルザックに『知られざる傑作』という短編小説がある。ある絵を大先生がポンポンポンと直すと、突然、その絵の中に空気が感じられ出す。人の肌も、生きた女の人の肌のように見えてくるというような、そういう技術。さっきまでは平板にしか見えなかったものが、いまは空気があって人物が息をしているように見える。もし、その変化を教師の手によって見せられれば、誰だって「ああ、ぜんぜん違うなあ」とわかる。そのようにして、これは空気が感じられる絵、これは感じられない絵というふうな審美眼ができるのではないか。

もちろん、こんなスーパーな教師は多くはないだろう。しかし、見る目を育てるというのはそれほど難しくない。プログラムをきちんと組めば、見る目は養える。教材をそろえて、比較するポイントを明確にした上で、生徒たちに見せたり聴かせたりすれば、レベルの違いはわかるはずだ。

自分で伸びていける人

ところで、前章でも少し述べたが、そもそも自分で自分を教育できるというのが一番大切なことだ。このことと、いま述べてきた「見る目」、眼力とは深く関係している。どういうことかというと、たとえば自分でいま、英作文をやったとする。それは、もちろん母国語のようにはうまく書けていない。けれども、その英文をいったん自分のものではないものとして見たときに、「ああ、これは間違っているな」「文法として間違っている」ということがわかるレベルに達するのが大事だ。

英文法というのは非常に大切で、それがよくわかっていれば、英作文でも自分でチェックができる。自分で書いたものではないと思って採点できてしまうわけだ。このように自分で自己修正できる力を養っておけば、自然に向上していくことができる。

だから一番いいのは、自分で自分をチェックして伸びていける人をつくることなのだ。ずっと教えられてばかりの人では困るだろう。

いいものを見抜く目、レベルの違いがわかる眼力が身についていれば、自分をチェックし修正することができる。自分を伸ばしてくれるものを探し出すこともできる。そういう眼力をつけさせるという点が、教育にとっては重要なのだ。

日本語文化の素地をつくる

日本語も一つの文化だ。というよりも日本文化の大黒柱である。これについても当然「見る目」を育てることが大切である。

たとえば、川端康成の日本語。私などは、はまりこんで抜け出せなくなるほどだった。『雪国』など、読んでみればわかるけれども、筋自体はそれほど感心したものではないと思う向きもあろう。でも日本語として見たときには、惚れ惚れしてしまう。谷崎潤一郎の『春琴抄』でも、樋口一葉の『たけくらべ』でもそうだ。

あの一人の樋口一葉を生むために当時どれだけの水準の高い国語文化、日本語文化があったかを考えねばなるまい。一人の紫式部を生み出すために、どれだけの日本語文化があったかということが大切なのだ。天才は急に出現するように見えるけれども、ああいう作品にはそれぞれ素地というものがある。

その意味では、いまの日本語文化からは、たとえば幸田露伴、中島敦は生まれないであろう。なぜかというと、子どもの頃からの漢学、漢文の素養が圧倒的に足りないからだ。急に勉強してすぐに書けるようになるものではない。漢詩を読むことだって大変なのに、漢詩をすらすらつくる漱石や露伴は、やはりレベルが違うのである。

福沢諭吉もそうだ。四書五経を幼児期に読んでいるから、オランダ語をやっても英語をやっても、ある程度習得がスムーズだった。

いまは、漢文が軽視されているので、漢文の素養を基盤とした日本語文化は低下の一途をたどっている。

戦前の小学生は、立川文庫の『猿飛佐助』など漢字がたくさん出てくる大変難しいものを読んでいた。その素地があるから、そういうものを文学者がたくさん出版することができた、ということだ。

一人の天才を生み出すためには、それだけの素地が必要なのだ。他方で、見る目のある一般の人びとを育てることも大事である。天才教育だけではなくて、一般の人のレベルを常に高く保つことが必要なのだ。そういう意味で教師は文化の受け手、作り手を同時につくり出すという役割を担った存在であり、また次の時代をつくっていく存在でもあるのだ。

審美眼を育てる

教育界では、日の丸・君が代問題をはじめとして、愛国心論議が盛んだ。しかし、私は、国家ではなく、日本の文化、人類の文化を愛することが優先されるべきと考える。たとえば『源氏物語』とか芭蕉の句。「閑《しづか》さや岩にしみ入《いる》蟬の声」、これがどんなに素晴らしいかがわかっていれば、日本の文化というものを、なかなか嫌いにはなれないものだ。

日本という国家のシステムを愛するのはなかなか難しいが、文化を通して日本を愛することはそれほど難しくない。文化に込められてきた、人びとが何を美しいと思い、何を善いことと思うかという、真善美の基準を私たちは継承していくわけだ。

もちろん経済は大事である。けれども、真善美にかかわるものは、人が生きていく上において、決して比重の軽いものではない。人の生き甲斐に直接つながるものなのだ。もちろん学校では株式相場の読み方を教わったり、パソコンや英語ができるようになって、高い年収をとれるようにといった欲求に応えなければいけない面も出てくるだろう。けれども、私たちが生き甲斐につながる文化をしっかり背負っているのだ、という意識を持つことが、やはり教育者には必要なのだ。

それは学校に限らない。いろんな分野でそれを意識的に行っている人はいる。たとえば、「一竹辻《いっちくつじ》が花《はな》」という染色の技法がある。安土桃山時代に盛んだった辻が花染めは江戸時代の初期に一度失われてしまった。久保田一竹《いっちく》という方が、ある時にその切れ端を東京国立博物館で見て感動した。だが、調べても、その製法がわからない。そこで徹底的に自分で工夫して、ついに久保田一竹流の辻が花を再興した。大変有名な方で、その作品は見事なものだ。このように、染色の技術などでも、一度失われてしまったものを復元するような人がいる。そこには感動があり、出会いがあったのだ。

いろいろな文化の目利きになることは、大切だ。教師自身が、まずわからないといけない。そのわかり方だが、やはりアドバイザー、つまり案内書が必要だろう。入門書、案内書に詳しいというのも教師に求められる力だ。私の場合、音楽に関しては、吉田秀和の評論にお世話になったし、現代科学については、ピーター・アトキンス『ガリレオの指』（斉藤隆央訳、早川書房）が勉強になった。美術については、ウェンディ・ベケット『シスター・ウェンディの名画物語』（千足伸行監訳、講談社）が古代から現代までの絵についてわかりやすく解説してあって良かった。

とくに面白かったのは、ヤン・ファン・エイクの「アルノルフィニ夫妻」（一四三四年）。私は実物も見たことがあるが、実に精緻な作品だ。縦八二センチ、横六〇センチほどの絵の中に人物二人が手を携えていて、そのまん中に鏡があり、鏡にいろいろなものが映っている。その本に細部が拡大してあるのを見て、細密画としての見事さが初めてわかった。犬の毛の一本一本を見るだけでも奇跡に思えてくる。

フェルメールの作品も同じだ。「この部分も、この部分も、とても人間技ではない」と思える。気が遠くなるほど見事な光の表現だ。奇跡の仕事というのだろうか。

ベケットはW・C・ヘダの絵を例にして、絵の見方をこう教えてくれる。「すばらしい静物画の特徴の一つは、全体を見ても細部を見ても同じようにすばらしいということである。これは食事の跡を描いたものだが、食べられなかった木の実は原形をとどめている。また倒れたグラスには輝く透明感があり、この絵の細部を見れば見るほど私たちの喜びは増大していく」。

こう考えていくと、「最後の晩餐」のような大きくて立派な作品を描くことが、どれほど大変か。ルーペなどで拡大して解説されれば、私たちにもわかる。

あこがれる気持ちを審美眼とともに育てるのが教師の仕事だ。そのためにまず自分自身がほんものに出会い、そのサンプルのようなものをたくさん持っていて、生徒たちをそれに出会わせることが必要なのだ。

映画の歴史を追体験させる

私が学生たちに見せるビデオの中に、『一〇〇人の子どもたちが列車を待っている』(イグナシオ・アグェーロ監督、一九八八年)というチリのドキュメンタリー映画がある。チリは、日本に比べたら貧しい国で、その映画がつくられた頃には軍事政権だった。民主主義が全く否定されたような、独裁の国だったのだ。

そこで、ある教会のアリシア先生という方が日曜学校で子どもたち(幼児から小学校五、六年生まで)をいっぺんに教える。何をやるのかというと、映画の歴史を、追体験させるのだ。たとえば、「これがくるくる回るとゾイトロープです」と、一人ひとりに紙をもってきて切り抜かせて、くるくる回るゾイトロープという道具をつくらせる。そして「ほら、動物が走って見えるでしょう」と映画の原形を実体験させる。「ほんとうは馬は走っていないのに、くるくる回すと走っているように見える」。

またパラパラ漫画のようなものをやらせる。「ねえ、一個一個の写真は切れているのに、映像になって見えるでしょう。エジソンがつくったものはこういうものなの。それをリュミエール兄弟がエジソンの原理を利用して、初めて映画をつくりました。その映画が『列車の到着』といって、これです」という具合に見せる。

世界で初めてつくられた映画を見たことがあるだろうか。初めて作られたのは列車と工場の映画だった。そのうちの列車のほうを授業では見せている。私は見て感動した。列車の到着する場面、出発する場面というのは、いかにも映画的な風景なのだ。自動車よりも、自転車よりも、列車のシューッという蒸気、人びとのたくさん出たり入ったりという風景が映画的なのだ。

歴史的作品には、インパクトがある。たとえば、「ディズニーの最初のアニメはこうなっていました」と言われると興味が湧く。アリシア先生はたくさんフィルムを持っていて、もちろん現代の映画もある。「この手法を使っている場面は、たとえば、これです」といった感じで、見せる。そうすると子どもたちは、「へえ、これがそうなのか」と納得する。

そうすると撮る側(映画監督)の気持ちもわかるようになる。たとえば、赤い風船を持って走る子がいる。私たちがふつうに見たら、「風船を持って子どもが走っている。なぜ風船がそんなに好きなんだろう」「どこへ行くのだろう」と、心理的なほうへ興味がいく。しかし、映画教室の子どもたちは、リヤカーにカメラのようなものを載せて、移動しながら撮る技術(トラベリングという)を真似事とはいえ、やっているので見る視点が違ってくる。

それとセットで、「これは走っている子どもと一緒にカメラも動いているのよ」と先生が説明する。すると、こういう自然に走っている場面を撮るためには、トラベリングの撮影技術が必要なのだと子どもたちもわかってくる。そうすると見え方も違ってくる。作り手側の意識がわかることによって、いっそう深みを帯びてくるのだ。

音楽やスポーツをやっている人なら、わかるであろう。自分がやっていた楽器とかスポーツだと、名演奏や好プレーが、いかにすごいかがわかる。そういう経験を、いろいろな方面で積ませてあげたい、と思うのが、教師心というものだ。

もう一つ、書道を例に挙げたい。書道は学校のカリキュラムの中に入っている。あれはなくしてもいい、という声もある。実際、毛筆を書く場面は日常の中では少ない。「だったら硬筆だけにして、字をうまくさせるべきではないか」という人がいてもおかしくない。けれども、私は毛筆をやるべきだという考えである。

というのは、書道は歴然たる東洋文化の粋だからだ。「あれをここまでもってくるのに何千年かかっていると思っているのだ」と言いたい。唐の書家、顔真卿《がんしんけい》をはじめ、いろいろな立派な人たちがいた。そもそも漢字ができてきた偉大な歴史がある。それを学校のカリキュラムの中に一時間でもいいから、入れていることによって日本人みんなが書道をある程度できる。あるいは見る目が保たれる。

もっとも、先生に書道の嗜《たしな》みが足りないと、書道がどれほどいいものかは伝わらない。ただ義務的になってしまう。だから、誰もが授業でやっていながら、書道というもののすごさはあまり理解されていないのではないか。

そういう意味では、小学校の先生の仕事は大変だ。どれだけたくさんのものを身につけなければいけないのか、と考えると、スーパーマンのようにさえ思えてくる。だから少なくとも、いろいろな文化を身につけるのが好きな人がやるべき仕事なのだ。

言葉の力を信じる力

この章の最後に、教育力の一つとして「言葉の力を信じる力」というのを挙げたい。もちろん体で覚えることが必要な場合もあるだろう。体得させるということ、これも大切だ。しかし、同時に教育者の場合は、言葉によって伝えきるという技術も大事だ。「黙ってやれ」みたいな指導では、人はもう付いてこない。

たとえば体罰というものは、言葉の力を信じきれていない教師が引き起こすものだ。今はだいぶ少なくなったようだが、一時期は本当にひどかった。体罰は、だいたい教師が、自分がばかにされていると思ってカッとなってやってしまう。やはりそのときに冷静になって、言葉でしっかり諭《さと》せないといけない。「口で言ってわからないから殴るんだ」というのは、親子など、よほどの濃い関係のときには許されるかもしれないが、学校という所はそこまで深い関係はありえないから、体罰は禁じられている。やっていいこと、やっていけないことを言葉で知らせる。大事なことは何かを伝える。いまやることの意味はどういうことかを知らせる。

「黙ってやれ。おまえ、口答えするんじゃねえよ」と生徒に殴りかかった教師を私も見たことがある。「なんでこれをやるのですか」「生意気をいうな」。そういって急に殴りかかる人など、問題外だと思うのだ。何のためにやるのか、言葉で説明できないといけない。

言葉の力を信じて、言葉でいろいろ伝えられるのだと信じることが大切なことだ。基本的には言葉で行う仕事なのだから。

言葉なんて信用できないとか、どうせ伝わらないというのではなくて、言葉でかなりのところまで伝わるんだ、と信じていることが大切なのだ。言葉の力を大切にする態度を伝えること自体が、教師の役割だからだ。

7　応答できる体

信号が届いたという信号

この章では、教師に求められる力として「応答できる体をもつ」ということを糸口として語っていきたい。体が「開かれて」いて、相手に対して反応できないと、相手がだんだんアクションを起こさなくなってくるのだ。

これは教師に限らず、たとえば乳児に対する母親の場合でも同じである。あまり長期間、保育器などで反応のないところに置いておくと、だんだん感情表現がとぼしくなってくる、といったことが起こる。人は反応されることによって感情表現がだんだん大きくなり、それが増幅されてくるということなのだ。自分が出した信号が相手に受けとってもらえていることによって、次の信号を出す勇気とか元気が生まれるのである。

だから、コミュニケーションというものは、その内容の理解が、もちろん大切なのだが、まずは、その信号が届いたという信号をこちら側が出す必要がある。賛成、反対はともかくとして、それが届いていることを示すということである。

その増幅していく作用が非常に大切だ。自分が投げかけたものがどういう結果をもたらしているのか、ということを人は知りたがる。その反応を見ながら、次の行動を考えるものなのだ。教師には何人もの子どもたちから、同時にいろんなアプローチがくるケースがある。いろいろな子どもがいっぺんに発言する。誰かを指名する。私も小学生時代に経験があるが、そのときに、指名してもらえなかった何人かは、案外くじけるのだ。

「ではわかった人、手を挙げてください」という場合も、何人も手を挙げているのに、指されるのは一人。それ以外の子はがっかりする。その軽い失望感が授業の中で何回もくり返される。そのときに先生が子どもの目を見て、「ああ、君はわかっているね。君がわかっていることを、教師である私は理解しているよ」というメッセージを送れば、その子は別に発表しなくても満足するだろう。

『一年一組せんせいあのね』(理論社)という著書のある鹿島和夫先生は、「あのね帳」という小学生との連絡ノートをつくっていた。いろいろなつくり方があるけれども、生徒が毎日、日記のようなものを書いてくる。それに対して先生が答える。それを毎日やりとりすることで、言葉による絆が深まっていくということだ。

それをやっているうちに、生徒はふだん、親にも話しにくいようなことを先生に話すようになり、そういう関係の中で、子どもの精神的な危機状態を教師が察知することができる。そういうコミュニケーションをとっていくには、コミットメントする力が必要である。

付かず離れずの微妙な関係

コミットメントというのは、かかわること、関与することだが、言いかえれば、状況に対して傍観せずに踏みこむことだと思う。そのコミットメントする態度が、子どもに対して教師の側から必要である、ということだ。

ただし、あまり深く、プライベートな内面に入りこむのは、ときに危険であり、またルール違反になりかねないので、そこは気をつけなければいけない。粉を振りかけるように、何かと声をかけるということだ。

すると生徒の変化が見てとれる。微妙な変化に気がつくことが、次の声かけ、指示のヒントになる。昨日と同じことを話しかけているのに、今日は反応がないとすると、疲れているか、何か悩みを抱えているのか、何か不満があるのか、自分に対する思いなのか、いろいろな可能性が考えられる。つまり定点観測のように、いつも声かけをしていると、反応の違いによって調子がわかるようになるということだ。

生徒の側から先生に話しかけて挨拶しているのに、挨拶を返してくれないとする。何かの拍子で気がつかなかっただけかもしれないが、でも挨拶を返してくれなかったら、あの先生は無視しているということで、やはり嫌いになってしまう。

子どもたちにしてみると、先生は必ず応答(レスポンス)してくれる、いわば保証付きの人間なのだ。そこにはもちろん甘えがある。どんな状況でも先生が答えてくれるというわけにはいかない。だが、その生徒たちの甘えを受け止めることも先生の仕事のうちに入っているのだ。「忙しいから、またこんどね」と言ってしまったことによって、その生徒の気持ちが離れていってしまうことも、もちろんありえる。

もっとも、生徒はとめどなく付け込んでくるところもある。塾の宿題まで「先生、これはどうやって解くの」と聞いてきたりする。それに答えていると、ある特定の生徒とばかり結びついてしまう。そういうときには上手に距離をとることも必要だ。

付かず離れずの微妙な関係を保つ、その距離感とともに応答する体力を養うということだ。

教師の場合、たとえば一対四〇だったら、四〇人に対してなるべく均等にそういう応答をしなくてはいけない。とくにおとなしい子どもに対しては、こちらからアクティブに働きかけ、逆に向こうから応答を引き出した上で、こちらが増幅して返す。

このボールのやりとりがどうしても最初に必要なのだ。だから、自分から他の人にかかわるのが嫌いな人は、あまり教師に向いていないことになる。向こうから来た質問には答えるけれども、こちらから行く気はないとなると、高校の先生としてもちょっと無理なのではないだろうか。

空白を恐れない勇気

授業においてあらかじめその進め方を全部ぎっちり決めてしまっていると、生徒の参加によって変わっていくダイナミックな動きが引き出せない、ということがある。いちばん面白いのは、誰かが言った一言によってどんどん展開が深まっていくというケースだ。けれども、先生のほうは最終的な行き先を知っているので、そんなに慌てない。途中はいろんな道があるだろう。けれども結局は目的地へ行き着けばいい。

先生も一緒になって流浪の民のようになってしまうと、収拾がつかないので、先生は磁石を持っている必要がある。そのなかで、あえて生徒の行く方向に身を添わせて、しばらくは一緒にたゆたうのも必要なのだ。生徒にとっては自分たちの疑問から新しい展開が起き、それをきっかけにして、先生がもっと面白い展開を見せてくれたならば、それは非常にクリエイティブな授業ということになる。

先生自身に「ひきだし」がたくさんある場合、このような、いっときその場のなりゆきにまかせる授業、いいかえればスペースを空ける授業が可能になる。経験を積んでくると、この生徒のいまの発言は一見はずれているようだけれども、膨らませていくともっと面白いところへ行けそうだ、というような予感がはたらく。そういうものを吸収しながら、大きく育てていくということになる。空白ができることを恐れないようになる、ということだろうか。空白を恐れない勇気、そういうものが必要なのだ。

また、沈黙を恐れないということも大事である。沈黙を大切にする、ということだ。子どもの沈黙にも質があるので、その質が高いものなのか低いものなのか見極めて、低いものであれば、すぐにその沈黙を断ちきらないといけない。高いものであれば、その高さ、深さの中で何事かを生徒にしてもらう。

だから、皆が黙っていて静かな空間であっても、その空間が生産的であるかどうかを感じとり、もしそれが生産的であるなら、自分はあえてあまり介入せずに、この状態をもう少し続けようという判断になる。

相手に対して開かれている体

生徒の発言や音読の仕方、あるいは沈黙の深さをどう受け取るかというのは、結局のところ、教師のセンスの問題だ。相手の理解度が読み方や表情でわかるときには、質問は最小限でいい。でも、相手がわかっていないときは、かなり細やかにこちらが発問をしていき、その生徒と自分とのやりとりで相手の反応を増幅させていく必要がある。そのためには生徒の理解度をいろいろなサインとして感じとる体を持っていないといけない。

これはもちろん脳で判断するのだが、声を感じとるというのはほとんど体の領域だから、表情や声からその子の理解度、集中力をクラス全体として感じとることは、体が相手に対して開かれていない人には難しい。

閉じてしまっている人というのは、普段から見ていてもだいたいわかるものだ。二人で話しているときにそれができない人には、三人を相手にしてそれはできない。三人を相手にできない人に一〇人は相手にできない。一〇人を相手にできない人に四〇人は全く無理だ。

これは、はっきりしている。普段から相手に自分がどのくらいわかっているかということを、まず表現できる能力が必要なのだ。相手のことを理解して返すわけだが、そのときに、キャッチボールでいえば自分はちゃんと球を受けとっているのか、こぼしてしまったのか、そのあたりを微妙に相手に伝えることができるかどうか。たとえ球をこぼしたときでも、いまのがちょっと微妙にわからなかったということが相手に伝われば、いままでのはわかっていて、いまの言葉がわからなかったのだということを相手は把握できる。そのあたりの相手との信頼関係を一球一球確かめていく、ということが教師としての練習メニューに入っていい。地道な作業が信頼関係をつくる。

だから普段の会話が下手な人には、教師はとうてい無理だということになる。会話というのは人間に求められる一般的な能力だが、その能力がハイレベルで整っていなければならないのだ。私は「知情意体」と言っているが、教師とは、知性と感情と意志、そして体、すなわちレスポンス(応答)できる体をも持っている、バランスのとれた人間がやるものだと思っている。

いま学ばなければ、という「一期一会感覚」

また、教師の能力としては「これを学ぶのは一生に一度しかないかもしれない。いまがそのときなのだ」と生徒にはっきりと伝えられること、そこに学びの緊張感を生み出せるということも求められる。つまり、「一期一会感覚」の演出だ。

たとえば、私は小学五年生のときに、フナの解剖というのをやった。たまたま先生が休んだときに教頭先生が来て、解剖の前に「どういう心持ちでするのか」といったことを一人ひとりに言わせた。答えが良くないと「君は解剖なんかやる資格がない」。

いま思うと、解剖という形で生物をしっかり見る機会など、その後、あまりなかった。「ああ、あの時が、そういう貴重な体験だったのか」と思うことが、いまだにある。あの時にそういう授業が行われたことの意味が間違いなくあったのだ。その先生は多分そういうこともわかっていたのだろう。「いまなんだよ。君たちが解剖することによって、生物の生命を奪ってまで知識を得るのはどういうことなのかがわかるのは。いま、この場なのだ。この場でわからなければ、もうだめなのだ」というわけだ。

不退転、もうあとに引けない。そこに追い込む。だから教師にとって追い込むというのは、非常に重要な技術なのだ。

というのは、自分自身で自分を追い込める人は少ないからだ。「いまがそのときなのだ」とわかることは難しい。そのうえ、辛いことや厳しいこと、自分にとって都合の悪いことだと、どうしても逃げようとする。そこを逃がさないようにする。逃がさないようにするには、やり方がいくつかある。

たとえば、あと三分以内に答えを出すという具合に、時間的に区切りをつける。あるいは、紙に書いて出させるとか、成績をつける。そのほかにもある。問いの発し方にも、いろんな縛りのかけ方に工夫がありうる。そういう形で相手を追い込んでいくということは、大変重要なことで、ただ「自由に考えてごらん」と言っていても、それによって集中できる生徒は大学生でも少ない。緊迫した空気をつくることができるというのも、教師の能力だ。

そういう緊迫した空気をつくれる一方で、リラックスした空気をつくれる技術も持っていないといけない。そうでないと息詰まってしまい、生徒が参ってしまう。緊張と弛緩、テンションを上げてキュッと締める感じとゆるめるのと、両方の技術がやはりほしい。そこにリズムが生まれてくるということだ。

この緊張とリラックスの切りかえは、まさに教師自身の身体を基点として行うものだ。教室の雰囲気は教師の身体性が決めるのだ。

カオスとコスモスを往復できる力

教師の能力としては「カオスとコスモスを往復できる力」も挙げたい。カオスは混沌、コスモスは秩序。混乱している状況の中に、ある種の秩序をつくりあげていく力を、人類は大切にしてきた。神話がだいたいそうなっている。

最初、天(あめ)と地(つち)がどろどろに混ざっていて、それが分かたれて……。神話の多くは、天地が分かれることから始まる。それから陸ができ、また男と女が分かれて、秩序がいろいろできていく。それが神話の一般的な形態であり、人間の知の基本になっているのだ。

私たちは、実は混乱や混沌に耐えにくい。だから、何ごとにつけても、整理をつけたがる。たとえば、よくわからないと、「ああ、あの人はB型だから」といった形でけりをつけたがる。

そのように私たちは、なにかひと括りにしてけりをつけたいのだ。言語というのは、実は、そういう機能を持っている。あの人は悪人、あの人は善人、という区分けなどその一例だが、整理してしまうと楽になるのだ。

つまり、言葉を生み出すことによって世界を整理し、私たちは物ごとを捉えることができるようにしたわけだ。動物と人間を分けてみようとか、動物の中でもこれとこれを分けてみようといった具合に、そういう区別する言語を持つことによって世界がくっきり見えてくるようになった。

それはそれで秩序のあるいい方向性だ。いろいろな世界観の基礎ができる上で、それは必要なことだ。けれども、ちょっと教科書というものを考えてみるとわかるが、教科書はあまりにも秩序だっている。完璧に秩序となっていて、私たち学ぶ側は、いわば動かしようもない。

たとえば、歴史の教科書はよくできているが、あれを読んで議論するのは大変難しい。「読んで覚えるしかないだろう」と思ってしまう。

私は教科書が軸になっていいと思うけれども、そういう秩序が完璧にでき上がっているものだけに頼ってはいけない。他方でカオスへ向かう方向性を先生が示せないと、生徒のほうは退屈してしまうのだ。そのあたりを上手に、ある秩序を形づくったら、今度はそれを溶かしてみるようにしたい。

たとえば「みなさんは、図形について学びました。『一本の直線に対して、それに平行な、ある点を通る直線は一つです』という法則をやりましたね。しかし……」と続けて、別の非ユークリッド幾何学のようなものを出されると、生徒は「そういうことって、ありなの？」と考える。

複眼的な見方を

一つの知識に対して、もう一つの見方やもっと発展した捉え方が出てくるのが、学問の世界では当たり前なのだ。そういう意味で複眼的な見方を身につけること自体が授業の狙いだともいえよう。これだけ覚えればいい、というものではなく、この角度から見るとこうだが、視点をずらすとこう見えるという具合に、常に視点を移動させる訓練が必要なのだ。

それはどの教科でも同じである。理科の実験でも、こういう角度でやれば一見正しそうだけれど、別の角度から見てみるとこの実験は穴だらけ、といったことはある。もちろん歴史の見方でもそうだし、文学の解釈などはなおさらそういえよう。

だから、複眼的な見方を身につけること自体が目的だと、生徒に伝えながら授業をすることが大事なのである。二つ三つの考え方があるのを知った時に、「結局、何が正しいのかわからない。それなら、覚えなくていいのでは?」ではなくて、「複眼的な見方ができることを学ぶんだよ。そういうことを学んでおくと、たとえば新しい問題に対して一つの見方だけではなくて、二つ三つの角度から眺めることができる。すると、その全体像を客観的に把握する精度が増すし、なおかつ自分の価値観・世界観も深まるのだ」ということを理解させる必要がある。

小論文というのは、実はそういうところを見るテストでもある。その人の考えが単に正しいかどうかということよりも、ものの見方が複眼的であるかどうかということを試すわけだ。

課題文の読み方でも、「この著者には反対だ」と力んで書く高校生がよくいる。はじめから「この著者はいいかげんである」などと決めつけてしまう者もいる。

そういう自分の思い込みで、原文をよく読まずに書くのは最悪だ。よく読めた上で、たとえば「ここを拡大して考えれば、こういうふうになっていく。別のここを拡大して考えると、こうなっていく。でも、これに反対の議論をしようとすれば、こうなる。賛成の議論をすれば、こうなる。そのなかで自分はどの道をとるのか」ということが冷静に把握できているかどうか、というのが大切なことなのだ。

自分の主観的な価値判断にのみとらわれて、客観的な分析（把握）ができないというのは、やはりまずい。私は、『「ムカック」構造』（世織書房、一九九八年。改題して『ムカックからだ』新潮文庫、二〇〇四年）という本を書いたときに痛感したが、一九八〇年以降、価値観という言葉をだんだん「価値感」と書くようになり、ちょうどそれに伴って、「好き嫌いでいいじゃん」といった風潮が非常に強まった。

「自分の好き嫌いで判断すればいい」となってくると、自分が的確に把握していなくても決めつけてしまい、それで満足してしまう。

そういう「決めつけ癖」は、教育においてはくり返し直さなければならないものだ。それが勉強の意味でもある。数学でも、視点を変えることによって簡単に解けるのだ、という経験を積ませる。「視点移動」と大きく書いたTシャツを着て授業をするくらいの覚悟でちょうどいい。

現在、「主観優先(好き嫌い優先)で別にいいじゃん」という人が増えてきてしまっている。その事態に社会全体が非常に手を焼いているが、そういう態度は勉強から逃避してしまった場合に起こりやすいことなのだ。勉強は客観性、多角的視点を非常に重んじるからだ。

自分の好き嫌いにかかわらず、間違いは間違い。それを常に突きつけられることが大切なのだ。自分のものの見方が否定される。だが、その自己否定がいやなものだから、自分を試される場に身を置かない傾向が起きてくる。そうすると、ほとんど試されることのない、「勝手に決めつけ癖」を持った若者が仕上がってしまう。

自分の考えが否定されるつらさを乗り越えて自分の見方が狭かったのだ、間違いだったのだ、それではこれを身につけようという具合に、否定を媒介にして、一段高次の肯定に至る。その往復が弁証法という思考の運動なのだ。

知識の価値への確信を

二〇〇六年秋に浮上した高校の未履修問題は、知識というものを今の日本社会が軽んじていることの一つの表れだ。受験のために必修科目逃れをするとは本末転倒である。知識というものは大変尊くて、それを学ぶということは大変恵まれたことなのだ、ということが忘れられようとしている。

学校というところでは、一回一回の授業に意味がある。膨大な時間にわたって、膨大な知識が入ってくる。その情報にすべて開かれて、吸収している人のほうが、力を持つのではないか。そういう力を持っている人は、人を救う力も持つし、自らを救う力をも持っている。そういうことを否定する社会になってしまってはいけない。

それを教師自身が、いわば信じていなければいけないのだ。知識というものが人を強くし、人を幸せにするものなのだという強い確信を持たないといけない。「最終的に勉強なんて、学校の成績なんて、どうでもいいんだ」、そういうことを大人が言っていては、話にならない。

知識というのは、前にも述べたように、その知識自体を使う場面と、その知識を獲得したりそれについて考えるプロセスで鍛えられている脳のはたらき、思考するエネルギーとか技、考える力自体を伸ばすという面がある。

幾何学を直接使うわけではなくとも、幾何学を徹底的に学んだ人間に可能な脳のはたらきがある。先の視点移動の力もその一つだ。一見無用に思われることでも、脳にとって意味がありうるのである。

サッカーの場合のリフティングや相撲の四股《しこ》でも同じことがいえる。一見無用と思われることでも、これは絶対に価値がある、鍛錬する意味があると思ったことに関しては、先生は自信をもって強制すべきなのだ。その確信がなければ、教育はできない。

もちろん、強制といっても、ゆるやかに捉えてほしい。たとえば、上手に縛りをかけたり励ましたり、テストという形で緊張感を持たせたり、という意味である。そういうふうに盛り上げていって、上手にやらせるということだ。

そういうことは一度乗り越えてみると、それが自信になる。「ああ、勉強って面白い」とか「少なくともあの教科をやったときの喜びはわかったな」と思うと、それが卒業してからの知識欲につながっていくわけだ。

だから、教師たちには、知識を得ることは素晴らしいことであり、それを得られる自分たちは非常に幸せなのだと相手に思わせるようにしてほしい。そうでないと、すべてがどうでもいい、という虚無感の支配する社会になってしまうであろう。

8　アイデンティティを育てる教育

待つ力とほめる力

教育者というのは、別に学校の教師に限らない。会社員の中にも、教育者としてのアイデンティティを持っている人はいる。街で子どもたちを集めてサッカースクールをやったり、剣道の教室をやったり、ピアノを教えたりという人は、たくさんいるだろう。その中には小遣い稼ぎだと思ってやる人もいるかもしれないが、多くの人は、子どもたちに何か大切なことを伝えたい、という思いをもってやっている。そういう人のアイデンティティは、教育者ということになる。アイデンティティとは、「自分は、○○である」と張りをもって言えるときの「○○」のことだ。教育者というと少し堅苦しいが、要するに人を育てることに情熱をもって取り組んでいる人ということだ。

自分が教育者であるということをアイデンティティにした場合、相手の変化を待てるということが重要な資質になる。これを生まれつき持っている人は少なくて、誰だって相手に早く変化してほしい。相手に変わってほしいのだが、ふつうはそれが待ちきれない。

なかなか変わらない子もいる。ところが、なかなか変わらない子は、いつまでも面倒を見ても仕方がないかと言うと、これが不思議なことに、あるときに突然、質的な変化を起こすということがある。そして、そこから劇的に伸びていくことがあるのだ。

そうすると、教師のほうに待つ力というものが決定的に必要になる。決めつけない。「だいたい、この子はこのくらいかな」と教師が先に限界を設定してしまうと、それ止まりになってしまいかねない。

人というのは、自分にとって重要な他者(たとえば、親・教師・コーチなど)が思っているような人間になるという傾向がある。その人から期待されると伸びていくし、期待されないと「それぐらいでいいのだ」と開き直ってしまうところがある。

ある実験で、片方のクラスをほめつづけ、片方のクラスには何もしなかった。その上で比べてみたところ、「期待しているよ」とメッセージを送り続け、ほめ続けたクラスのほうが、いわゆる学力が伸びていったことが明らかになったという。

それは、自分の身になってみればわかる。やはりほめられると伸びていく。相手がほめるということは、相手が自分に期待を持ってくれている証だ。自分が伸びることを確信をもって見守ってくれている、という安心感が持てるのだ。要するにほめるという行為の中には、こうなってほしいという期待感が込められているわけだ。

『男はつらいよ』は四十八作続いた日本を代表する大ヒット映画シリーズだが、主演の渥美清は、山田洋次監督にほめられたことがうれしくてすぐに人に語った。

「ぼく、お眼々、ちっちゃいでしょ。でもね、山田洋次監督がね、『きみの眼は、ちっちゃいけど、キラーッとすごく強く光るよ。よく利く眼だよ』っていってくれたんだよ」「そう」「障子をパッと開けて、ぼくがパッと入ってくのよ。そんときの眼が、すごく利くってさ」「うれしい？」「そりゃ、うれしいさ」（大下英治『知られざる渥美清』廣済堂出版）

細い目は、役者にとっては劣等感につながりやすい。そこを本気でほめたのだから、いわば一発逆転コメントだ。眼力のある人が自分の弱点を本気で肯定的に評価してくれれば、勇気も湧くし、信頼関係もできる。渥美ほどのプロの役者でも、ほめてくれるコメントが効くのだ。子どもたちなら、なおさらだ。

これからの教育者にとっては待つ力とほめる力が非常に重要になってくる。子どもたちは厳しいことを言われるのがどんどん苦手になっているからだ。その分、この二つがあると、かなり相手がついてくる。もちろん、客観的な評価基準は持ったほうがいい。いいものはいい、だめなものはだめという見る目がなければいけない。けれども、それを相手にそのまま言ったら、相手はついてこない。見抜いた上でほめるコメントで相手に自信を持たせ、やる気に火をつける、これが教育者の技だ。

甘えてくる生徒への対応

生徒たちの先生に対する要求水準は、とても高い。教師の言うこととやっていることがちょっとずれただけでも、それが許せない。また、とても理不尽な要求もする。「先生なのだから、このぐらいできて当たり前」と言わんばかりに、とんでもない筋違いの問題をもってくる者まででいる。「先生、これ解ける?」と問題を示し、解けないと「なあんだ」と露骨にがっかりしたりもする。

そういう行為は、一般社会ではやってはいけない失礼なことだ。では、その生徒たちはそういうことをやって、何がしたいのか。一つは、先生の力を試したいということがある。先生が本当に実力のある人であってほしいという思いがある。

そのほかに、単に甘えたいという気持ちがある。さして意味のない質問をし続けてくる生徒は、関わりを深めたいのだ。まとわりついたり、ふざけたりするのもメッセージであることがある。小学生は本当に抱きついてくる。中学校一、二年でもまとわりついてくる。甘えも含めて許してくれ、自分につきあってくれる人なのかどうかを試しているところがある。

そこで試されていると感じた人は、ああこの子は甘える時期なのだなということがわかり、つきあってあげられる。そのうちに信頼関係ができてきて、そういう筋違いのことなどは、むしろしなくなるようになってくる。

私はいま私塾で小学生を教えているが、甘えさせ方の技術というものがある。あまり対応してばかりいると、いわば図に乗って、どんどん甘えてくる。たとえば、私がみんなに話している最中に、横から関係ない質問をしてくるのだ。もちろん私の気は散る。だが、私も慣れない最初のうちは、それに答えていた。答えていくと、目の前の一〇〇人ぐらいがお留守になってしまう。

でもその子は、その一〇〇人よりも自分ひとりに先生がエネルギーと時間を割いてくれたということに満足してしまう。要するに、それに甘えてしまうわけだ。

だから、そういう子どもをパッと見たときに、この子は甘えたい段階なのだとわかれば、全体を指導している間にその子のところに回っていって、「ああ、よくできているね」「前回よりもうまくなっているね」と、前回との比較を見てあげているというメッセージを送るのが一番いい。そうすると落ち着いてくる。

子どものほうもやたらに甘えたいというよりは、変化を見届けてほしい、期待して見ていてほしいという思いなのだ。無制限な甘えの欲求ではないと私は思う。そこのところで間違えてしまうと先生と友達になった気分で、なれ合いの関係になってしまう。

そういう甘えたい欲求を理解し、しかし方向性を変えて「君はもっとよくなる種《たね》なのだよ」

というメッセージを送りたい。ルドルフ・シュタイナーは、種子として相手を見ろと言った。可能性ある種として見て、こういうふうに芽を出して、こういうふうに育って、こういう花が咲くのだというヴィジョンをこちらが持つのだ。そして、「ここがいま、うまく変化した瞬間なのだよ」と指摘してあげるのだ。そのことによって関係が変わってくる。

ポジティブな目標を持たせる

人の心理的な習慣を変えていくときのやり方に、大きく分けて二種類ある。悪い所を拡大して自覚化するやり方と、良い所を拡大していくやり方だ。一つはそれが基になった過去をずっと掘り下げていくやり方。人を非常に恨みやすい人がいたとする。とにかく人に復讐をしたい、攻撃したいという人がいると、何が原因でそうなったのだろう、とずっと追っていくやり方。精神分析もその一つであり、それで良くなるケースもあるだろう。

原因を探っていくと、各自にやはりいろいろなことがある。たとえばその子がいま、ふて腐れていることの背景は幼少期に何かがあったとか、小学校の先生がいけなかったとか。しかし、教育という営みの大筋は、何かもっとポジティブな（前向きな）目標を持つことによって、自分が持っているネガティブな（否定的な）要因の比重を軽くしていくことだと思う。

ある子どもの親が離婚問題で喧嘩をしているとする。すると、ふつうは勉強をするのが、だんだんいやになってくる。そのときに教師としてはいろいろな対応が考えられるだろう。両親が離婚しそうな状況について子どもと語り合うことだけが、教育者の仕事ではない。それとは関係ない理想を持たせることも考えられるのだ。「いろんなことが君にもあるだろう。しかしいまは一つ、バスケット(ブラスバンド、受験……)に燃えてみようじゃないか」という具合に。

私も部活が好きだったからわかるのだが、目標を持ってエネルギーを注ぎ込んでいくことによって、生活上のマイナス要素の比重が軽くなっていくことがある。

だから先生のほうは、その子の崩れ(モチベーションが高まらない状態)を見抜いた上で、何かあこがれを喚起するような働きかけをするということだ。そして、そこにはやはり、あわてないで良い所を拡大していくということが必要なのだ。

生徒、学生というのは、いわば社会人以前の存在だ。社会というのはきわめてクールな判断をするところだが、教育の場は、社会と微妙に異なり、待つことが求められる。それが、教育者ならではのスタンスだと思う。

心理療法の世界でも、近年良い所を拡大して見るソリューション・フォーカスという手法が出てきている。過去の原因を探るのではなく、変わるという結果重視のやり方だ。アルコール中毒ならば、飲まない時間帯に注目する。「私は全然だめだ」という全否定から「そういえば、だめでないこともあった」と肯定的な気持ちへ切り替えていく。教育も、ほめて励まして「やる気と成果の好循環」をつくるのが王道だ。

せっかちに決めつけない

教育というものはいわゆる社会のルールを念頭には置いているものの、そのなかに甘さ、甘えを上手にとり込むことが求められるのだ。甘えがぜんぜんない教育関係というのは、ちょっとさびしい。

吉田松陰の場合も松下村塾で厳しく教えていたが、やはり、一緒にご飯を食べたり散歩に行ったり、みんなでいろいろしているのだ。そういうゆるやかな人間関係に包まれて、ある種厳しい教育がある。そういう教育者には人は付いてくるだろう。

単にクールなだけ、厳しいだけ、テスト、テストで評価するだけでは、生徒のやる気に火はつかない。

厳しさの中にある楽しさを教えるということ自体が、教師の重要な仕事になるわけである。そのためには、信頼関係づくりの時間が必要だ。

だから、あまりせっかちに相手を決めつけてしまう心の習慣をやめないといけない。一つの基準で人間を見てしまうと、すぐに「こいつは使い物にならん」ということになる。教育者が身につけるべきは複眼的視点で評価するということである。

教師と生徒の相互的関係

次に、教師と生徒の相互的な関係、ということについて考えたい。

その前に、親と子の関係から見ていこう。親であるというアイデンティティは、基本的に子どもがいないと持てない。それは当たり前すぎるほどのことだが、しかしその親というアイデンティティは、子どもが生まれてからすぐに持てるとは限らないのだ。

とくに父親の場合、子どもの誕生時にはまだ、自分が父親になったという自覚(アイデンティティ)を持ちにくい人もいる。子どもがちょっとしゃべるようになって、寄りかかってくるなかで「ああ、おれも親になったのだ」という自覚が急速に芽生えてくる。子どもがいるから、親になれる。より正確には、子どもの世話をしていきながら親になっていく、という感じだろうか。最初は親という自覚の少ない人も、世話をしていくなかで、「ああ、自分がどんどん親になっていく」とわかる。

教師もそういうところがある。最初は一人の若者として、子どもたちの前に立つ。「一人の若い人間としてのおれを見てくれ」といった感じである。それはそれで気持ちのいいものだ。しかし、やっていくうちにだんだん先生としてのアイデンティティをしっかり持つようになっていく。目の前に教えるべき生徒がいることによって、初めて先生になれる、というわけである。

松本大洋《たいよう》の漫画『ピンポン』(小学館)を題材に小学生に授業をしたことがある。このなかに、いじめられっ子の過去をもつ引きこもり気味のスマイルと呼ばれる高校生(月本誠)が出てくる。彼には、卓球の才能がある。

その隠れた才能を顧問の小泉先生(教科は英語)が見抜き、先生の一方的な熱意で猛練習が始まる。スマイルは気が進まないながらも、しばらくつき合うが、ある時ついに気持ちが切れる。ランニングに行ったまま帰ってこない。小泉先生は、どうしたか。先生は夜中まで教室で待ち続けた。文字通り、前に述べた「待つ力」である。

待っていたところに、スマイル君は、帰ってくる。そして先生を見て驚く。「あ…」といった感じで。そこで小泉先生は、こう言った。

「お帰り、マイボーイ。何処《どこ》へ行ってた?」「何処へも行けませんでした。」「そうか……」「ずっと待っていたのですか?」「前にも言った……コーチの仕事は、選手が存在して成り立つのだと……」「……」

小泉先生は、相互的な関係のことを言っている。「生徒がいるから、コーチなのだ。だから、お前が戻ってこないとおれのアイデンティティはなくなっちゃうだろう」というわけで、「そのことについてお前は、どう思うか」と小泉先生は言っている。ただ単に君を育てたいというだけではなくて、それが自分のアイデンティティになっているのだ、おれの生き甲斐になっているのであって、やる気や誇り、いろんな思いをお前は汲み取ってくれたっていいじゃないか、という情への訴えだ。

続いて、何と言うか。「今度やったら殴るぞ。そのつもりでいろよ。」この一言もなかなか効いている。これは脅しのつもりで言っているのではない。「殴るからいうことを聞けよ」というニュアンスではない。自分も遠慮を捨てて覚悟を決めたというメッセージだ。簡単に言うと、「お前を、もう他人だと思わないよ」という意味なのだ。

ここで初めて、スマイルはコーチと選手という相互的な関係を受け容れた。「ドゥーユーアンダースタンド？　ミスター月本。」「イエス、マイコーチ。」「Good! Very good.」と、そんな会話が交わされる。

そこからスマイルのほうは本腰が入って、ガッと脇目も振らずに練習をしてモンスターに変貌していくという物語なのだ。

先生というのは、生徒がいて初めて先生なのである。その教師というアイデンティティを自分も支えているのだということを生徒に気づかせられるかどうか。生徒のほうも、その先生の教え子（弟子）であるという誇りをもったときに急激に伸びていくのだ。

この章では、教師というアイデンティティについて考えてきたが、それは生徒の側のアイデンティティである。お互いに「先生と生徒」「コーチと選手」という関係を積極的に受け容れることによって、教育の効果は何倍にもなる。自覚が集中力、意欲を生み出すのだ。自分はこの人の生徒なのだ、この人の弟子なのだ、この学校の生徒なのだという思いがアイデンティティになって、自分が向上していくエネルギーに変わったという経験は、多分、多くの人にあるのではないだろうか。

場に対する責任

ほんとうに優れた先生とは、自ら直接何か手を下さなくても、生徒たちがやる気になり、よくなっていく。そういうシステムや空気をつくることのできる人だ。

福沢諭吉が習った適塾もそうだ。いちいち緒方洪庵先生が全部、教えるわけではなく、生徒同士が切磋琢磨しながら、やる。そういうシステムをつくり運営する責任は教師にある。そして基本的なやる気の根源になっているのは、やはりその先生の偉大さなのだ。尊敬される実力と人格、そこからやる気が生まれる。

ほんとうに人は場の空気次第で変わる。人は環境の産物である。これは確信をもっていうが、個人の才能より環境の選択こそ重要なのだ。

たとえば、幸田露伴は幸田文《あや》を育てるときに、わざわざ『論語』の先生（近所のおじいちゃん）を雇った。幸田露伴自身『論語』などには詳しいのだから自分が教えればいいのだけれども、親子ではできないことがあると考えたのだ。実際この先生は、文を盛り場に連れていったりして、世の中のことをあれこれ教えた。

また、月面宙返りの創始者である五輪金メダリストの塚原光男氏は、息子の直也君を育てるに当たって元世界チャンピオンのアンドリアノフをコーチにつけた。

新たに先生をつける、それが環境の選択だ。だが、それをコーディネートしているのは親（教師）である。その意味で、先生が全部教えなくても、いろんな環境をコーディネートすればいい。たとえば部活の顧問だったら、練習試合にどの学校を呼んでくるのか、ということも環境の整備だ。

先輩が、後輩に対してどう接したらいいのか、というルールを作るのも環境を整えることになる。いろんな環境の設定という点で教育を見ると、それが教師の仕事で一番重要な部分なのだと気づいてもらえるのではあるまいか。

だから、小中学校の先生には大きな責任がある。その子が知的好奇心を持つかどうか。自分を向上させていくこと自体を面白いと思えるかどうか、ということをほとんど決定してしまうわけだから。もちろん、その後に出会った人によって変わっていくケースもあるものの、基本的には、その後の行動パターンをつくってしまう時期なのだ。

もっとも、環境が悪いといって済ませられるのは大学生ぐらいまで。その後になると、環境（空気）が悪いときには、もはや自分で良くしないといけない。どうやってこの停滞した空気を変えられるのだろうかと、工夫しないといけない。

こう考えてくると、教育者といっても、人を教える人というせまい意味では十分ではない。いい空気をつくって、ほかの人が気持ちよく、前向きな気持ちで向上していけるように、その空気を支えている誰か、その誰かが教育者であり、リーダーである。こうした環境整備は、みんなに気づいてもらえないケースもある。だが、「何か昔より空気が良くなったね」といった声が自然に生まれてくる。そんなときには、誰かが何かをしているのだ。

教師の資質とは、単に教え上手ということだけではない。もっと根源的な、場に対する責任感というものが、教育力の中核をなすということがわかると思う。場がだめなときは、自分に責任があると思うのがリーダー（教師）の資質である。

生徒にアイデンティティを与えられるか

そもそも、人間は弱いものだ。その弱い人間が人との出会いを通じてアイデンティティを持つことで強くなりうる。そのアイデンティティは一つではなくて、いくつもあるほうが強い。

人間は縒《よ》り合わせた糸の束みたいなもの。一本だけだとすぐに切れてしまうだろう。そこで、ファイバーみたいなものをいくつもいくつも縒り合わせて、一本が切れてもあと九十何本が残っている状態をつくることが大切なのだ。だからこそ、いろいろな出会いの可能性を生徒に用意する必要がある。

そう考えると教師に問われるのは、はたしてほかの人にアイデンティティを与えることができる存在であるのかどうか、ということだ。胸を張って「自分は○○である」と言えるものがアイデンティティだとする。そうすると、かなり要求水準が高い。しかし、これが一番大切なことで、そのほかのことは教師にとって二義的になってくるのだ。

生徒がこのアイデンティティを持ちさえすれば、すなわちたとえば、ここの学校の生徒になったのだ、あるいは、このスクールの生徒、この部員なのだ、この先生に習っているのだと誇りを持った時点で、答えは出たことになる。

伝統というものが意味を持つとすれば、その学校やそのクラブを出た先輩たちのいろいろな有形・無形の力によって、自分もそうなれるのだという自信を与えられるところにあるだろう。いわゆる伝統校かどうかなどは関係がないのは、いうまでもあるまい。生徒たちが自分の所属している集団に誇りを持つことができているのかどうかが、教育という勝負の趨勢を決める。

9　ノートの本質、プリントの役割

ノートの効用とは

「ノート」をきちんと書けるようにするのは、教育の大きな狙いの一つだ。ノートをとるというと、ふつう高校生までは板書を写すのだが、人の話を聞き書きすることを小学生のうちからトレーニングすべきだ。そして、もう一つ、自分の考えた目標や課題を書いていく課題ノート。それをつくれるようになると上達が促進される。

まず手始めに、板書以外のものをノートにとるという練習をさせる。それは、言われたことが自分にとって大事だと思ったら、逃さないでキャッチして「採集」するという感じだ。蝶が飛んでいるとすると、それを眺めているだけがふつうの話の聞き方だが、それを摑まえてしまうということだ。

そのノートを見て内容を記憶し、他の人に向かってその話を再生する。話し終わったら、話からもれてしまったポイントがないかどうか、ノートを見てチェックする。「ただ写す」だけのノートでは、学習効果が低い。

課題ノートのいいところは、それを書いている間に、それまでの反省をして、次に何を課題としてやればいいのか、ということをクリアにできる点にある。

学校でもどこでも集団の中である程度のポジションをキープすると、もうそれ以上伸びないというタイプの人がいる。だが、そういう人こそ、チャレンジして次のステップに向かわなければいけない。停滞した状況にあっても、ノートをつけることによって自分自身が自分の先生(コーチ)になることができる、ということを教えたい。自分で自分のコーチができるように育てるということ、それが一番大切なことなのだ。

文字にして書き出すと、自分が書いたことであるにもかかわらず、客観性のあるものとして、権威のあるものとして私たちには映ってくる。だからかつて文字には、呪術的な力があると言われていた。そういう文字の力、意識化・客観視させる力を利用するというのが、ノートの効用なのだ。

いまの学校教育では、そのノートの生かされ方がぞんざいだと私は思う。板書を写すだけでは機能的に足りない。ノートの本質はそういうところにはなく、人の話を自分のものにする、あるいは自分が時々刻々の課題を書き出して、それをどれだけクリアしたのかを見るということだ。

あるいは自分にとって必要な情報を選り分けてノートに書き込んでいき、自分にとって非常に大切なノートができ上がる。「それがなくなったら、とても困る」というのが本当の自分のノートだ。言い換えれば、「それさえあれば大丈夫」というノートづくりの技術を身につけてもらうのが、教育の場では絶対に必要だと思う。

私たちが空手を教えるときも、そうだった。小学校一年生などもいるが、全員がノートを持つ。毎日、その日にやったことと、次にやる課題を書いてもらう。そうすると考える習慣がつき、必ず記録をつけ課題を見つけて、次へのステップは「何を練習すればいいのか」「いつまでに、どのくらいまで上達したいのか」とモチベーションが上がっていく。そうして積極的で明確な意識をもって物事に取り組む心の習慣ができる。大切なことは習慣が変わることなのだ。

習慣の集積としての人間

たとえば、話を聴くときは意識的にメモをとって、いつでも再生できるようにする。そういう聴き方をすることが授業を通して習慣づけられれば、それは目標が達成されたということだ。だから、習慣が変わる瞬間をもって相手が変わったと考える。人間を習慣の集積として見たい。

私は生徒の資質とか才能を見るよりも、習慣を変えるほうが大事だと思う。中学校以降はとくにそうなのだが、小学校で頭はよかったはずなのにという子が、どんどんだめになっていく例がある。それは、要するに勉強の習慣ができていないのだ。

たとえば、中間試験・期末試験がある。中間試験・期末試験というのは小学校にないものだから、それで点を取るにはそれなりの習慣づけが必要だ。だが、そういうことを最初にやらないでサボってしまうと、中学以降は取り返しが難しくて、一気にこぼれていってしまう。

そういうことがあったので、中学校と高校を結びつけるのがいまは流行《はや》りなのに、ある区（東京都品川区）では小学校と中学校を結びつけようということになった（小中一貫校）。中学に行くと急に勉強が難しくなったりテストがあったりして、そのカルチャーショックに耐えられないで勉強から離れていってしまう子が多いので、そこをなだらかにしようという発想なのだ。それはそれで発想としては理解できる。

習慣を変えねばいけないときに対応できない人が落ちていくのだ。だから逆にいうと、ある新しいところに入っても、そこの習慣によって自分を新しく再構成することができればよい。リストラクション——リストラといっても、クビという意味ではなくて再構造化——、つまり構造化をもう一度行う。習慣を組み替えることによってその状況に対応していく、それが人間に必要な適応能力なのだ。状況が変わっているのに、かつての習慣にのみとらわれていて、その習慣を変えることができないと滅びていく、ということだ。

そう考えると、生徒を見たときにこの子の人間性はとか、この子の学力はとか、いろいろな側面で見ることができるけれども、習慣の総体として見たときには、その子を全否定することがなくなる。この習慣がいかん、というわけだ。いわば「習慣を憎んで人を憎まず」という考え方である。

課題をゲーム化する

習慣をどうやって変えていくか。基本は、ゲームのように楽しくルールをつくり、うまくいったときにほめることだ。

「日記を毎日つけてみよう」という目標を先生が立てたとする。「とにかく、毎日、日記を書こう」。一週間ちゃんと書いてきたら、ノートにシールを貼るというふうにする。そんなに長くなくてもいいけれども、一行ではあまりひどいので、たとえば五行以上は書くと決めたとする。そうすると、ほとんどの子は、なぜか知らないけれどやる気になる。

そのように上手に切磋琢磨する環境をつくるということなのだ。シールくらいのものでもモチベーションは上がる。とにかく、作業をゲーム化するというのがコツなのだ。

ゲーム化の基本は、限定とポイント制とごほうびだ。時間を区切る、条件をつけて縛る。サッカーが手を使えないことでゲームになったように、上手な限定は魅力を増す。また、ポイント制にすることによって努力が形になり、競争がしやすくなる。そして勝者には、ごほうびがあることで盛り上がる。ごほうびは、高額のものである必要はない。

ゲームのルールを組み替えていくことによって、頭の単純な良し悪しよりは、工夫とか努力によってカバーできる面が大きいものを考える。すると、「ああやってみよう」という気持ちになる。ある分野ではだめだった子も、全く違う次のゲームでは戦える、とわかる。

そうすると不思議なもので、一個が得意になると、自分を肯定できるようになる。全部できるようにならないと、人間としてなっていないということはなくて、「ああ、このゲームになったときにはあの子は強い」となったとき、その子は居場所を得るわけで、自分自身を肯定することができるようになる。

そうすると、ほかにもいい面が出てくる。自分の得意なことをやれば、自分は何とかなるのだなという自信を持つようになる。そういう意味でもゲームは、負けてもその枠内で処理されるという点がいいところだ。所詮ゲームだから、というわけだ。

だから学校以外のところでもゲーム化してみると楽しい、という空気をつくっていくといい。気楽で、かつ集中した雰囲気をつくっていく。そういう技術、ゲーム化する技術が、先生が生徒のモチベーションを上げていくためには必要だ。

相手がやる気になるのを見る喜び

そして、相手が喜ぶ、変わる、相手がやる気を出す。それが、教育者というのはうれしくて仕方がないのである。

なぜだろうか。自分の体調がとても悪いときでも、相手がやる気になるとエネルギーが湧いてきてしまう。熱があるとか吐き気がするとか、そういう状態で教室へ行く。そしてふつうにやってしまう。終わってみると、いっそう具合が悪くなっていることもあるが、時には、かなり治っていることさえある。

どうしてそんなことになるのか、わからなかった。ところが、バスケットボールのマイケル・ジョーダンの試合を見ていて、それがわかった。「ああ、これなのだ」と思った。彼は四〇度の高熱を発していて、もう立ち上がれずに、吐き気はする、下痢はする、という状態だったのだ。それでも試合に出た。勝負どころの試合だったので。

なんとその試合で大活躍した。だが、途中で脂汗みたいなのが出ている。明らかに具合が悪い。それでも活躍して、終わった。

このパワーの源泉は、責任感と期待に応える喜びだ。チームメイトのため、応援してくれる観客のために限界を超えてプレーする。その人びとからエネルギーをもらうがゆえにできてしまう。

教育者の場合も、相手がやる気になる姿、喜ぶ姿を見るだけで体調が整う。それが教育者としてのいわば本能なのだと思う。

プリントづくりの大切さ

教師の仕事の中で、オリジナルなプリントづくりというのもきわめて大事だと私は思っている。

新聞記事や本をコピーして、切り貼りする。一枚のプリントの中に、いくつか組み合わせて入れるのも効果的だ。たとえば、スピッツやミスターチルドレンの歌詞とニーチェの言葉を組み合わせることもできる。この組み合わせの妙は、教師の腕（教養）にかかっている。だから編纂能力が大事なわけだ。教科書編纂能力、プリント作成能力の延長線上にはそれがある。「なぜ同じプリントに、これとこれとこれが入っているの？」と聞かれたら、「まさにその並べ方、組み合わせ方に先生の思いがあるのだよ！」と答えたいところだ。

高校だったら、ふつうにこれをやる。私の学んだ静岡の高校では、国語科が非常に盛り上がっていた。なぜか知らないが、国語の教員は燃えていたのだ。課題を厳しくすることをもって喜びとしていた集団で、長期休みのたびに課題のテキストをくれるのだが、自分たちが集めた文章を編集してある。

その中に小林秀雄とか加藤周一とか、難しそうな文章がたくさん並んでいたが、それはその先生たちの判断なのだ。私たちはそれを読んでいると、何か楽しかった。市販のテキストではなくて、この学校でしか使っていないテキストだから。簡単にいうと私たちのレベルを信用して、これを課題にしているのだな、というのがわかる。

だから難しい文章があっても、それでいやだと思う者はいない。自分たちの能力を信じているから、こういうクソ難しいものを出すのだな、というわけだ。そうすると難しいことが誇りになる。つまり、生徒たちを、そういうふうに焚きつけないといけない。そういうのをくり返していると、教科書の何冊か分の質と量になってしまう。

プリントづくりは、編集力だ。いいものを見つけてきて、組み合わせる。生徒の力を見極めた上でのセレクトのセンスが、生徒のチャレンジ精神をくすぐるのだ。

読書推進運動・カリキュラムづくり

私は讀賣教育賞の選考委員(国語部門)をやっている。小・中・高の先生がその賞に応募してくるのだが、これが実にすごい。毎年ほんとうにいいものが揃っているのだ。二〇年間ぐらいずっと「学級通信」を毎日書き続けている人、農業高校で豚を主人公にしたラジオドラマをつくった先生……。

あるいは、最近賞をさしあげた茨城県下妻市の豊加美小学校では、県知事の提唱を受けて、読書運動に邁進している。読書カードというのをつくり、それがたまっていくとシールをあげるとか、賞状をあげる、としたのだ。シールや賞状というのは、非常に子どもたちが喜んだ。ゲーム化が成功し、最初は、それほど子どもたちは本を読んでいなかったが、だんだんパーセンテージが上がってきて、一年間に五〇冊以上読んだ子どもの率が九一パーセントになったという。

ここでは、年間五〇冊以上を読む子を一定のパーセンテージ以上にするという数値目標を掲げた。数値目標を掲げるのは、工場なら当然だが、そういうことを嫌う学校もあるだろう。「教育は数値化できない」といった考え方もあるが、本は読めば読むほどいいのだから、この場合の数値化には意味がある。読書する子どものパーセンテージをはっきり自分たちの目標として掲げよう、ということを県全体でやったのは、素晴らしい。学校ごとの数字が出るから、どの学校が頑張って、どの学校が頑張っていないというのもわかってしまう。だが、そういう競争は私はまっとうなものだと思う。

その学校での工夫は非常に細かなものだ。先ほど述べたようにカードをつくるとか、賞状をあげるとか、何かの機会に発表をするとか励ますといったことを中心にやっている。そのうちに子どものほうが止まらなくなってしまう。

そこの報告の一つにあったのは、それによって不登校の子がいなくなったということだ。学校に来ない子、理由もなく休んでしまう子は、やはり小学校でもいる。「何となく」行かなくなってしまう子というのは、いま、クラスに一人二人いてもおかしくない。でも、そういう子どもがだんだん減ってきて、いなくなってきたということが書かれていた。

読書運動の効果だけではないだろうが、年間五〇冊も読むと、知識欲、知的好奇心が根づいてくるのだ。もっと面白いものを知りたい、読みたいとなったときに、学校という場所に対して、肯定的な気持ちになってくるということがある。学校はなぜあるのかというと、もちろん団体生活をするという社会的なルールを身につける場所でもあるが、本来、知的な好奇心を中心にして、勉強する仲間が集まるところなのだ。

それが象徴的に現れるのが読書活動であって、読書を全くしないで学校の成績向上だけの追求というと、やはり、知的好奇心が育っていないと見ざるをえない。社会に出て一番大事なのは知的な好奇心や欲求、向上心、向学心というものだが、そういうものの種が読書によって播かれ、育っている。そのことによって学校が嫌な場所でなくなるのだ。

また、一年間のカリキュラムを自分でつくった先生も素晴らしかった。その先生も本を読むことを基盤にしながら、小論文を書く指導をどんどんしていく。一年のカリキュラムがきっちり決まっており、生徒の反応を確かめながら、添削指導をずっと続けるのだ。そのカリキュラム構成力もすごいと思った。

カリキュラムを自分でつくるのは本当に力量がいる。だから、出来合いのカリキュラムがあり、教科書も問題集もあって、ふつうはそれに従ったりする。それでも授業は大変なぐらいだ。そうでなくて、自分でテキストを揃えてきて、生徒に課題を与え、一年間の見通しを立ててメニューをつくることができるのは、相当高いレベルになる。

それを「カリキュラム構成力」と呼ぶとすると、この力が教師にとって、教育にとって非常に重要な力、メニューづくりの力ということになる。これは先生のほうに確信がないと、不安になってくるから続けられない。自分の考えたメニューだから、生徒がついてこられないのではないか、効果が上がらないのではないか、と不安もある。そういう意味では先生がはっきりとした意識をもって向かっている、ということだ。

そのプロセスの中で、自分なりの教材づくりも進む。自前のプリントをつくるのが好きな人は、先生に向いている。授業に教科書以外のものがどんどん入ってきて、この先生は独自のかかわりをしているなということがわかると、生徒のほうも乗ってくる。なぜか、手作り感は人に訴えるところがあるのだ。手作りテキストを用意するのは、非常に効果的だ。

教師としてやっていく上で基本的なことが、このように応募論文のなかにたくさんある。こんなに立派な先生がたくさんいるなら、日本の教育にも希望がある、と毎年前向きな気持ちにさせてもらっている。

10　呼吸、身体、学ぶ構え

教育スタイルの選択

教育にはスタイルが要求される。というのは、教師の気質、体質はなかなか変えることができないからだ。教室に入ってきたり、生徒の前に立ったり、塾で教える場合も、あるいは個人指導でも、その人が一瞬にして空気を漂わせてしまうわけだ。

その人がもって生まれてきたものや、あるいは生育上で身につけてきたものからは、なかなか逃れられない。だから、その人のもっているものを生かした形で教育スタイルができていれば、非常に効率がいいのだ。教育の場合の成果とは人格上のいい影響を含めたものと考えると、教育のスタイルはいろいろであっていいといえる。たとえば、いわゆる一斉授業でも効果が上がればそれでいいし、生徒に考えさせる授業で効果が上がればそれでもいい。効果が上がらない場合は、そのスタイルがその人にとってはよくないことになる。

当然ながら、幼稚園の子どもを教える場合に通用する方法が、中学生には通用しないということがある。そういう意味で、相手の要求する教育スタイルもあるのだ。

そのすり合わせの中で、まず、自分はどんなスタイルで教えるのが性に合っているのか、考えたとする。同じ教育に携わるにしても、たとえば学校なのか塾なのかで、それ自体スタイルが違う。大人数なのか少人数なのか。あるいは公立なのか私立なのか。

また、会社の中で上司になった場合、部下をうまく評価してリードしていく、そのリーダーシップ自体がその人の仕事力なのだから、部下がうまく育たなければ上に立つ人間としての評価は上がらない。そういう意味では教育的なセンス・能力、教育力というものが、一般の会社でも常に要求されるわけだ。そういうものを持つ人が上へ行くべきだと言ってもいい。自分の仕事はできるのだが、ほかの人を育てることができない。そのプロジェクトをまとめていくことができない。そういう教育的リーダーシップをとれない場合は、職人肌の一匹狼として生きていくことになろう。

そういう意味では、どこの世界に行っても教育はあるわけで、それぞれの場で教育スタイルを自分自身で見極めて選んでいくことが求められる。学校の先生としては全然だめでも、家庭教師としてはいい、という例もある。あるいは子どもによっては、塾だとだめだけれども家庭教師だと大丈夫、という場合もある。一対一だとしっかり話を聞けるのだけれど、一対四〇になると(四〇分の一だと)ぜんぜん話を聞けない子どもがいるのだ。そう考えると、お互いのスタイルが合致したところを選べば、教育はかなり効果が上がるのだといえる。

また、教師として接する一方で、少し先輩・後輩みたいな空気を出せる人がいる。あるいは、友達感覚のようにつきあえる人もいる。友達感覚しか出せないと、そこから抜け出せない。生徒との距離をしっかりとれる人が近づくのはいいが、距離をとることができない人が最初から近づいてしまう場合は、悲惨なことになりかねない。

生徒との距離の取り方という点でも、スタイルというのはやはり現れる。距離を遠めにとっている人、要するに生徒から見ると、ちょっとこの人はとっつきにくいなと思われる人でも、いい授業をする人はいるわけだ。あるいは、こわいなと思わせる人でもうまい人はいる。

教育にはいくつかアプローチがあるので、そのなかで自分の得意なスタイルを見つけていくことが必要だ。大きく分けると、二つのタイプがあり、一つは自分でどんどん工夫しつづけて、自分で型をつくっていく人。もう一つはある型を学んでそれを基盤にし、それに自分の工夫をちょっとアレンジして加えていくぐらいの人。

私は保育園・幼稚園の中に両極端のスタイルを見たことがある。一つの保育園では、一人ひとりの子どもに個別対応していた。みんなでやるときもあるのだが、先生がどういう子どもか理解していて、たとえば、この子は一人で遊んでいても大丈夫だと考えたら遊ばせておくとか、この子は赤ちゃんの世話が得意そうだと見たら、「赤ちゃんのところに行って、ポンポンして寝かせてね」といった具合に、一人ひとりにさせることも少しずつ違ってくる。

これだと、子ども一人ひとりを見抜く目が必要だし、アイデアが必要なので、センスのある人に向いているやり方かと思う。もちろんこれもベテランになるに従って、見抜く目は鍛えられていくから、資質によって向き・不向きがまったく決まってしまうわけではないけれども、やはり教育センスが問われるのは事実だ。

もう一つの幼稚園のほうは、新任の先生でもかなりうまくやっている。子どもが二〇人いても、システムが決まっていて、これの次はこれをやる、これの次はこれをやる、と練習メニューが決まっているのだ。それをテンポよくどんどんくり返す。「次は立って歌をうたって、次は走ろうね」という具合にシステムが決まっているやり方だと、新任の先生でも全体をコントロールできる。声の力とか、きりっとした雰囲気とかいうものさえあれば、相当の教育成果を上げることができるのだ。

こちらは、とりたてて才能や教育センスがなくても、人間としてまともでビシッと空気を締めることができればなしうるという意味では、たいていの人にアプローチできる領域なのだ。

教室の雰囲気でも、賑やかで「はい、はい、先生、先生」と生徒が盛り上がるのが似合う先生と、シーンとした雰囲気が似合う先生とがいる。およそ仕事の上では、そういう自分の得意スタイルを見つけるということがどの職業でも大切ではあるものの、教育の場合はとりわけ相手がいることなので、スタイルの選択、あるいは練り上げというものが重要になる。

呼吸のリズムのすり合わせ

その際、自分の身体性というか、身体の傾向というのはある程度、意識したほうがいい。スタイルのことと重ねていうと、呼吸のことがあり、呼吸については基本的に教師は元気なようでも落ち着いていないといけない。息を長く吐けないといけない、というのが私の信念だ。呼吸をコントロールすることによって、距離感をコントロールできる。時間感覚もコントロールできる。あるいは、間《ま》をとるときにも呼吸が大事なのだ。

息を長く緩く吐ける能力があると、その人は息が浅い人にも合わせることができる。和辻哲郎が文楽について書いている文章があるが（「文楽座の人形芝居」『和辻哲郎随筆集』岩波文庫）、文楽では人形を操る二人の息が合わないと、大変なことになってしまうらしい。相手の一挙手一投足に呼吸を合わせていく。その合わせることの素地が、息が長く緩く吐けることなのだ。

自分の息が浅いと、相手の息に合わせることは難しい。息のためをつくることによって初めて、いつでもパッと出られるのだ。ざわついているときには、呼吸を静かにして、教室を静めていくし、元気がないときには呼吸を強くして、まわりの空気を高めていくことがある。私たちは、ふだん意外に相手の呼吸の状態を感じとっているのだ。けれども、意識化はしていない。人間関係の上で、この人と一緒にいると何となく落ち着くなとか、この人といると浮き浮きするな、などといろいろな感情を受けるが、そのいろいろな感触の下側に、呼吸のリズムのすり合わせ、自分のリズムと合うのかということがある。

相手の動きの中に呼吸を見ることは日常でもある。たとえば二人で話していて、相手がしゃべるのと自分がしゃべるのと、言葉が重なってしまう人がいるとすると、その人は呼吸センスがちょっと弱い。相手が息を吸ったら、次に話そうとしている瞬間はわかるだろう。その瞬間は、自分がグッと止まらなければいけない。そうすると声がぶつからなくなる。相手の呼吸の状態をいつも測ってほしい。

剣道や柔道では、だいたい呼吸がどうなっているのかというのを測りながら、相手の隙をとらえて打ちこむ。日本の芸道の多くは、息の文化、呼吸の文化が基本になっているのだ。

子どもたちの呼吸力も強いほうがいいと思う。呼吸力があると、集中力が持続するからだ。あまり呼吸が途切れ途切れで不規則で荒いと、計算をやっていても何をしても、意識が途切れてしまう。私たちの意識は、息を吸ったときに一回途切れてしまう。せっかく集中していても、スッと吸った瞬間に、そこに一瞬、空白ができるのだ。だからあまりに頻繁に吸っている人は空白だらけになってしまう。一分間で三回ぐらいの呼吸がいいのではないかと私は考えた。

私が呼吸のコントロールをこんなに強調するのは、自分の気持ちや感情の起伏が大きい場合、それを抑えて作業ができる、そういうメリットが呼吸法にはあるからなのだ。

呼吸法の良さは、「調息調心《ちょうそくちょうしん》」、すなわち息を調え心を調える、ということだ。いま、この「調える」という書き方をする人は少ないだろう。これは整理をするという意味ではなくて、秩序を与える、コントロールできているという意味だ。

すなわち、私たちが自分の感情をコントロールするために身体からアプローチをして、自分の感情をコントロールし、状況、場をコントロールする。こういう制御できる能力は決して悪いものではなくて、逆に制御できるほうが自由度が高いのだ。

「さあ勉強をしよう」と小学生たちにいうときに、一定の静かな集中した雰囲気をつくれない先生は、それだけで子どもの自由を奪っていると私は思う。子どもを自由にさせたら、ふつう、教室は雑然としてしまう。みんなが勝手放題にやり、出歩いているという教室がよくあるが、その状態で子どもが自由になっているのかというと、やはりそれは成長していないということで、その子の将来の自由を奪っているということになる。

感情をコントロールできないと、やはり人間関係も狭まっていく。「あいつとつき合っても、あいつはキレるからつき合うのを止めようぜ」ということになると、人間関係は狭くなる。職業選択をするときでも、やはり感情のブレが激しい人だと、面接官のほうはすぐに見抜くから、「ああ、協調性がないな」と落とされてしまう。

その協調性は、他人の心を理解する力でもあると同時に、自分自身の感情をコントロールできる力でもある。たとえば、いまここで相手は自分に厳しいことを言っているが、ここで相手にキレるような状況ではないとか、あるいは自分のことをほんとうに思ってくれているのだとか、いろいろ判断するとキレにくい。また同時に何を言われても大丈夫な気持ちでいようと呼吸を調えるのも効果的だ。そういうふうに心を調えていると、受け取り方も変わってくるのだ。

学ぶ構えをつくる

教育の中で一番大事なのは、相手の学ぶ構えをつくるということである。極端にいえば、学ぶ構えさえできれば、あとは何をやっても大丈夫なのだ。たとえば、こちらが非常に厳しいメニューを次々に出しても、「やろう、やろう」となる。子どもはチャレンジしたり没入するのがとても好きだからだ。

和辻哲郎の「茸《きのこ》狩り」(前掲書)という話がある。

少年時代に茸狩りに夢中になった。それがなぜ、あんなに面白かったのかと考えると、茸自体の価値がそんなにわかっていたわけではないだろう。茸のもっている価値というよりは、大人たちがその茸に夢中になっている姿によって、つい子どもたちも夢中になってしまう。大人がたとえば、ある種の茸を見つけたときにものすごく大事にする、喜ぶ。「あの人たちが喜ぶのだったら」と子ども心に興奮して、みんなで珍しい茸を探しまわる。どれが毒茸で、どれがいい茸で、あるいはその棲息地域はどうで、何のそばにその茸が生えやすいのか、ということも子どもたちはどんどんデータを交換して、積み上げていく。子ども時代にはその行為に没入しているから、楽しくてしょうがなかったと和辻は言う。これがおよそすべての探求の原型ではないか、というわけである。探求する気持ちというのは結局、そこに何かがありそうだというあこがれをもって、どんどん没入してやっていくことなのだ。

福沢諭吉も、学問が何のためになるか、などということは考えなかった、と言っている。大坂の適塾にいて、オランダ語をやっているころだ。そのころ、塾生はものすごく勉強した。けれども、それがやがて日本の国のためになると思ってはいるものの、すぐにそれをどう役立てて、お金にしようなどという考えではなくて、学問それ自体の面白さ、自分たちの全く知らない世界のものを知ることができる、という面白さに駆られてやっている。目的なしの学問の尊さというものを『福翁自伝』のなかで言っているのだ。

夢中で学ぶ時間は、人生の輝く瞬間であり、尊いものだ。和辻の話でいえば、茸熱が冷めてしまえば、「なぜ茸だったのだろう」と思うかもしれないが、そのときに学んだ探求の時間は消えないし、自分の人生の中の輝いていた時間なのだ。そのとき茸狩りをしたか、しないかということは、人生にとって別に重要でないかもしれない。だが、勉強していたとか、探求していたということそのこと自体が価値を持つ。あんなに夢中になれていたその時代が、そのことによって輝くということだ。

人間は「生がむなしい」という感情から離れたい。そして、むなしくない充実している感情というのは、必ずしも自分の収入など、実質的なことにつながらない勉強によって生まれる。生の充実感が学ぶ構えから生まれるのだとすると、学ぶ構えをつくるのは教師の一番大きな仕事だと言える。

緊張とくつろぎ

振り返ってみると、体の構えを調え、そして学ぶ構えをつくっていくのが、日本の教育の基本だった。それが戦後の教育の中では忘れ去られてきたのだ。いまは身体から入るという発想は少なくなった。しかし、今こそ身体を基盤にした教育が求められていると思う。

私は「三秒吸って、二秒止めて、一五秒吐く」という呼吸法をやって、子どものざわついた雰囲気を収める。一回だけ、最初にやるばかりではなくて、一回の授業の中で五回とか六回とかサッサッと組み込むから、子どもの中では自然にそれが身につく。

「鼻からスッと吸って、止めて、口から静かにスーッと吐いていく」。そうして構えを調えてから、テストに向かったり、何か考える作業に向かう。こうして、いつも自分を一定のいい状態、すなわち集中していて、なおかつリラックスしている状態にもっていくのだ。リラックスして集中している時間、それを私は「利休《りきゅう》タイム」と名づけた。

お茶会の空間は、ふつうにくらべるとちょっと緊張感がある。しかし、実はそこはくつろぐことを目的にしているのだ。くつろいで、人と人とがかかわるのを目的にしていながら、だらしないかと言えば、精神を集中している。

「利休」の「利」は聡《さと》い、鋭いということで、その鋭さを「休ませる」。名前としては非常に奥深い名前だ。私としては、鋭い人だからこそ休むことができる、ゆるみつつ集中できるという意味にとっている。敏感である人が、あえてリラックスする、休む。「少し鈍き刀を使ふ」という『徒然草』の言葉のように、鈍さをあえて取り入れることは意味があるのだ。

張りつめているばかりでは、疲れてしまう。ゆるんでばかりでは集中できない。そういう意味では、集中してリラックスしているその状態は教師に必要だし、学ぶときに常に必要なのだ。テストなどになると、頭の中がパニックになってできなくなってしまう子が多いのだが、そのような意味では本番に強い・弱いというのは、メンタルなコントロールができるかどうかということでもある。身体の呼吸の訓練とは、それを普段からトレーニングするということなのだ。

そのように、いつも子どもの身体に目を配って、自分の身体を調えて向かうということが、教師の基本技術である。身を調え、場の雰囲気を調え、生徒の学ぶ構えとやる気を引き出していくのが基本だ。

教師の身体は常に生徒に影響を与える。だからこそ生徒の前に立つときには、肩甲骨をぐるぐると回して体と心をほぐして息を入れ替える。上機嫌で応答しやすい身体を調えて、体ごとあこがれを目指して飛ぶ矢をイメージする。そして、晴れ晴れとした表情と張りのある声で、生徒たちに語りかける。こうした身体のコンディショニングは教師としての基本技である。

向上心にあふれた教師の身体の明るさこそが、教育力の根幹をなすものだ、という確信を私は持っている。

あとがき

私の本業は、教育学者であり、専門は教育方法の研究だ。いかに学び、いかに教えるかを心身の両面から研究してきた。『声に出して読みたい日本語』(草思社、二〇〇一年)以来、さまざまな本を出してきたが、すべての仕事は、教育方法の研究から発している。自分の本業の成果をようやく、このような誰にでも読める形で出版できることになった。特別な感慨がある。

教育研究の世界に足を踏み入れてから、すでに二十数年が経った。二〇代から三〇代にかけて長期の無給、無評価の研究者生活を送った。寝ても覚めても考え続け、実践し、論文を書いた。しかしエンジンを空ぶかしで高速回転させて、焦げついている感触に正直参っていた。志に燃え、仕事に確信を持ちながらも、精神的にはぎりぎりの所を走ってきた思いがある。

だから今こうして、青春時代のあこがれであった岩波新書で『教育力』というタイトルの本を出版できることは、これまでの地味な研究生活が報われるようで素直にうれしい。

大学に職を得て教職志望の学生たちに教えることができるようになって、教育が自分の天職だと改めて悟った。抑えがたい教育欲に突き動かされて、楽しい時を過ごしてきた。

宮沢賢治に「生徒諸君に寄せる」という私の好きな詩がある。

この四ケ年が
　わたくしにどんなに楽しかったか
わたくしは毎日を
　鳥のやうに教室でうたってくらした
誓って云ふが
　わたくしはこの仕事で
　疲れをおぼえたことはない

大学という恵まれた条件でのことであるが、私の実感はまさにこれだ。教育に対する私のイメージは、明るい。これは、これまで出会った先生方のおかげだと思う。この場を借りて感謝申し上げたい。また、この本が形になるに当たっては、坂巻克巳編集委員に多大なご尽力を頂いた。記して感謝申し上げたい。

この本が、多くの人びとにとって、明るい勇気を持って上機嫌で教育に向かう一助になることを願っている。

二〇〇六年一一月

齋藤　孝

齋藤 孝

1960年静岡県生まれ．1985年東京大学法学部卒業．東京大学大学院教育学研究科博士課程を経て
現在—明治大学教授
専門—教育学，身体論，コミュニケーション論
著書—『読書力』『コミュニケーション力』『古典力』『考え方の教室』『新しい学力』(以上，岩波新書)
『声に出して読みたい日本語』シリーズ(草思社)
『三色ボールペンで読む日本語』(角川書店)
『質問力』『段取り力』『コメント力』(ちくま文庫)他多数

教育力　　岩波新書(新赤版)1058

2007年1月19日　第1刷発行
2024年9月5日　第23刷発行

著　者　齋藤《さいとう》 孝《たかし》

発行者　坂本政謙

発行所　株式会社 岩波書店
〒101-8002 東京都千代田区一ツ橋 2-5-5
案内 03-5210-4000　営業部 03-5210-4111
https://www.iwanami.co.jp/

新書編集部 03-5210-4054
https://www.iwanami.co.jp/sin/

印刷・理想社　カバー・半七印刷　製本・中永製本

ISBN 978-4-00-431058-7　　Printed in Japan

岩波新書新赤版一〇〇〇点に際して

ひとつの時代が終わったと言われて久しい。だが、その先にいかなる時代を展望するのか、私たちはその輪郭すら描きえていない。二〇世紀から持ち越した課題の多くは、未だ解決の緒を見つけることのできないままであり、二一世紀が新たに招きよせた問題も少なくない。グローバル資本主義の浸透、憎悪の連鎖、暴力の応酬――世界は混沌として深い不安の只中にある。

現代社会においては変化が常態となり、速さと新しさに絶対的な価値が与えられた。消費社会の深化と情報技術の革命は、種々の境界を無くし、人々の生活やコミュニケーションの様式を根底から変容させてきた。ライフスタイルは多様化し、一面では個人の生き方をそれぞれが選びとる時代が始まっている。同時に、新たな格差が生まれ、様々な次元での亀裂や分断が深まっている。社会や歴史に対する意識が揺らぎ、普遍的な理念に対する根本的な懐疑や、現実を変えることへの無力感がひそかに根を張りつつある。そして生きることに誰もが困難を覚える時代が到来している。

しかし、日常生活のそれぞれの場で、自由と民主主義を獲得し実践することを通じて、私たち自身がそうした閉塞を乗り超え、希望の時代の幕開けを告げてゆくことは不可能ではあるまい。そのために、いま求められていること――それは、個と個の間で開かれた対話を積み重ねながら、人間らしく生きることの条件について一人ひとりが粘り強く思考することではないか。その営みの糧となるものが、教養に外ならないと私たちは考える。歴史とは何か、よく生きるとはいかなることか、世界そして人間はどこへ向かうべきなのか――こうした根源的な問いとの格闘が、文化と知の厚みを作り出し、個人と社会を支える基盤としての教養となった。まさにそのような教養への道案内こそ、岩波新書が創刊以来、追求してきたことである。

岩波新書は、日中戦争下の一九三八年一一月に赤版として創刊された。創刊の辞は、道義の精神に則らない日本の行動を憂慮し、批判的精神と良心的行動の欠如を戒めつつ、現代人の現代的教養を刊行の目的とする、と謳っている。以後、青版、黄版、新赤版と装いを改めながら、合計二五〇〇点余りを世に問うてきた。そして、いままた新赤版が一〇〇〇点を迎えたのを機に、人間の理性と良心への信頼を再確認し、それに裏打ちされた文化を培っていく決意を込めて、新しい装丁のもとに再出発したいと思う。一冊一冊から吹き出す新風が一人でも多くの読者の許に届くこと、そして希望ある時代への想像力を豊かにかき立てることを切に願う。

（二〇〇六年四月）